Katzen – Clickertraining

AUTORIN: KATJA RÜSSEL | FOTOGRAF: OLIVER GIEL

Inhalt

Grundlagen des Clickerns

Das leicht zu erlernende Clickertraining ist eine fantastische Möglichkeit, mit Ihrer Katze präzise und ohne Missverständnisse zu kommunizieren. Sie werden rasch entdecken, wie Sie die Talente Ihrer Katze sowie Ihre eigenen fördern können und zusammen eine Menge Spaß haben.

Die Ursprünge der Trainingsmethode

Das Clickertraining entstand in Amerika und wurde bei uns zunächst in der Hundeausbildung eingesetzt. Die bekannteste Pionierin auf diesem Gebiet ist die Biologin Karen Pryor. 1963 begann sie im Sea Life Park auf Hawaii, als Trainerin mit Delfinen zu arbeiten. Rasch erkannte sie, dass sie mit den herkömmlichen Ausbildungsmethoden, wie sie bei Hunden und Pferden üblich waren, nicht weit kam. Ein Delfin schwimmt weg und kann nicht mit einem Leinenruck korrigiert werden. Auch das zeitnahe Belohnen, wenn das erwünschte Verhalten gerade gezeigt wird, ist im Element Wasser schwierig. Da machte Karen Pryor ihre ersten Erfahrungen mit dem Clicker und war fasziniert von der unmissverständlichen Kommunikationsmöglichkeit zwischen Mensch und Tier. Heute findet das Clickertraining nicht nur seinen Einsatz bei der Ausbildung von Rettungshunden und Servicehunden für Behinderte, sondern auch bei verschiedenen Hunde-Funsportarten. Doch auch Katzenfreunde entdecken vermehrt diese tolle Möglichkeit, ihren Vierbeinern etwas beizubringen, sie artgerecht zu beschäftigen und geistig zu fördern. Langeweile und daraus resultierende Unarten haben keine Chance mehr.

Was ist denn nun ein Clicker?

Der Clicker ist eine Art Knackfrosch, wie Sie ihn vielleicht aus Kindertagen kennen. Er besteht aus einem Gehäuse, in dem sich ein federndes Metallplättchen befindet, das beim Herunterdrücken ein typisches Geräusch erzeugt: »Klick-Klack.« Mit diesem Hilfsmittel haben Sie die Möglichkeit, das gewünschte Verhalten Ihrer Katze exakt in dem Moment zu bestätigen, in dem sie es zeigt. Wie das Training mit dem Clicker genau funktioniert und was dahintersteckt, erfahren Sie auf den nächsten Seiten.

Die Prinzipien der Lerntheorie

Das kennen Sie von Ihrer Katze: Sobald Sie die Futterdose öffnen, kommt sie erwartungsvoll angelaufen. Sie weiß genau, dass das Geräusch des Dosenöffnens Futter bedeutet. Damit Sie verstehen, worauf es beim Clickertraining ankommt, machen wir einen Ausflug in die Prinzipien der Lerntheorie – sie gelten für Tier und Mensch gleichermaßen.

Die klassische Konditionierung

Als Entdecker der klassischen Konditionierung gilt der russische Arzt und Physiologe Iwan P. Pawlow (1849–1936), der durch seine Forschungen über das Verdauungsverhalten von Hunden bekannt wurde. Er beobachtete, dass die Hunde beim Anblick des Tierpflegers zu speicheln anfingen, noch bevor sie Futter erhielten. Daraufhin verband er die Futtergabe mit einem akustischen Signal, einem Glockenton. Bald wurde der Speichelfluss der Hunde nur durch den Ton hervorgerufen. Pawlow konditionierte als Erster seine Hunde gezielt auf ein Geräusch.

Bedeutung für das Clickern Die klassische Konditionierung wird auch als Reiz-Reaktions-Lernen bezeichnet. Man versteht darunter die Verknüpfung eines neutralen Reizes (z. B. Glockenton) mit einem Reiz, der eine festgelegte Reaktion (z. B. Speichelfluss) auslöst. Dieses Lernen geschieht automatisch und unbewusst. Mit der klassischen Konditionierung geben wir dem Clicker eine Bedeutung. Die Katze lernt, den Clickerton mit Futter zu verbinden.

Ihre Katze weiß genau, was passiert, wenn Sie mit der Futterdose scheppern: Gleich gibt es ein Leckerli. Sie ist auf das Geräusch konditioniert.

Die operante Konditionierung

Die operante Konditionierung ist Lernen aufgrund von Konsequenzen bzw. Lernen durch Erfolg und Irrtum. Die erlebten Konsequenzen (Erfolg oder Misserfolg) formen auch unser zukünftiges Verhalten. Durch operante Konditionierung können wir die Wahrscheinlichkeit, dass ein bestimmtes Verhalten wieder auftritt, erhöhen oder senken. Folgt einem Verhalten eine angenehme Konsequenz, wird es mit hoher Wahrscheinlichkeit häufiger gezeigt. Daher folgt auf jeden Klick etwas Positives.

Primär- und Sekundärverstärker

Damit Ihre Katze wirklich gerne mitarbeitet und auf den Clicker konditioniert werden kann, brauchen wir etwas, das sie unbedingt haben möchte. Aus wissenschaftlicher Sicht machen wir uns auf die Suche nach Primär- und Sekundärverstärkern.

Primärverstärker sind lebenswichtige Dinge, die körperliche Bedürfnisse befriedigen: essen, schlafen, sich fortpflanzen, spielen usw. Primärverstärker müssen nicht erst gelernt werden. Je nach Bedürfnislage funktionieren sie von allein. Für eine hungrige Katze ist Futter ein idealer Verstärker, für eine satte Katze vielleicht eher eine Streicheleinheit.

Sekundärverstärker werden erst durch die Verknüpfung mit einem Primärverstärker zu einem Verstärker. Zunächst hat der Ton des Clickers für die Katze keinerlei Bedeutung. Wenn sie ihn noch nie gehört hat, schaut sie vielleicht nach dem unbekannten Geräusch. Nach einer gewissen Gewöhnung wird dieses aber als unwichtig betrachtet, sofern nichts Außergewöhnliches geschieht. Der Klickton hat keine weitere Bedeutung für die Katze. Das macht Sinn, denn ein Tier kann nicht jedem Reiz gleich eine wichtige Rolle zuordnen – das würde die Aufnahmefähigkeit des Gehirns überfordern.

Auch wir leeren hin und wieder die Festplatte unseres Computers, um wieder Platz für wichtige Dinge zu schaffen. Bei uns Menschen ist ein typischer Sekundärverstärker das Geld, das wir für unsere Arbeit bekommen. Geld selbst können wir nicht essen, aber uns davon Primärverstärker in Form von Nahrung oder anderen wichtigen Dingen kaufen. Auch ein Lächeln, eine freundliche Geste sind Primärverstärker und funktionieren bei allen Menschen unseres Kulturkreises. Schulnoten oder ein Strafzettel sind Sekundärverstärker, da sie erst durch die Konsequenzen verstärkend wirken.

1 Für aktive Katzen kann auch ein Spiel oder ein Spielzeug extrem motivierend und verstärkend wirken – schon haben wir einen Primärverstärker.

2 Futter zählt zu den universellsten Primärverstärkern. Jedes Tier muss fressen, um zu überleben. Katzen tun für ihr Lieblingsfutter sehr viel.

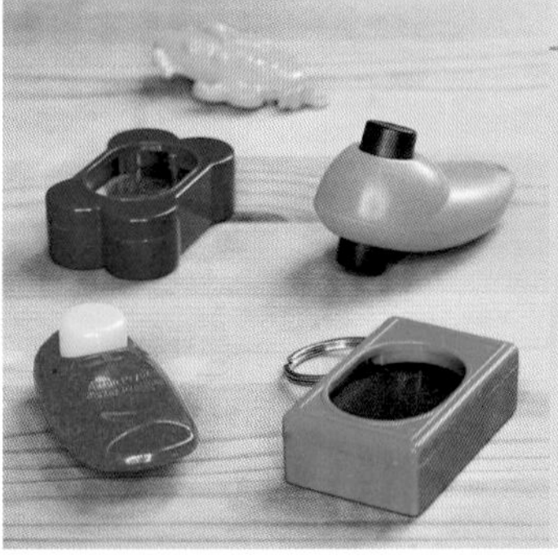

3 Der Clicker wird durch die Verknüpfung mit Futter oder einem Spiel zum Verstärker. Er zeigt an, dass nach seinem Ertönen ein Leckerli oder ein Spiel folgt.

Auch im Umgang mit unserer Katze können wir bestimmte Verhaltensweisen verstärken, je nachdem wie wir uns der Katze gegenüber verhalten. Wenn sie mit den Augen blinzelt, hat dies eine ähnliche Bedeutung wie unser Lächeln. Beim Clickertraining ist das Futter oder das Spiel der Primärverstärker und der Klickton der Sekundärverstärker. Durch die zeitnahe Koppelung des Futters mit dem Klick hat dieser die Bedeutung des Verstärkers angenommen.

Positive und negative Verstärkung

Wie Sie mittlerweile wissen, motiviert ein Verstärker dazu, ein bestimmtes Verhalten häufiger zu zeigen. Man unterscheidet positive und negative Verstärker. Einer Katze ihr Lieblingsfutter zu geben, wenn sie ein bestimmtes Verhalten zeigt, motiviert sie zur Wiederholung derselben Handlung. Sie fühlt sich beim Lernen mit der positiven Verstärkung wohl. Auch die negative Verstärkung führt am Ende zu einem positiven Gefühl, allerdings ist vorher eine negative Emotion vorhanden. Ein Beispiel aus dem Reitsport: Das Lenken mit den Zügeln ist eine negative Verstärkung. Der Reiter zieht am linken Zügel. Das Pferd möchte dem Zug im Maul entgehen und läuft daher in die gewünschte Richtung. Sobald es das macht, wird der Zug am Zügel verringert. Dadurch empfindet das Pferd eine Erleichterung. Das Problem ist nur, wenn sich das Pferd an den Zug gewöhnt, reicht der bisherige Reiz nicht mehr aus, und man müsste noch heftiger am Zügel ziehen. Dies sieht man häufig bei Schulpferden, die »hart im Maul« geworden sind. Dass Lernen unter solchen Bedingungen seine Grenzen hat, sogar die Mensch-Tier-Beziehung gefährden kann, liegt nahe.

Generell gilt Positive Verstärkung heißt, ein angenehmer Reiz wird hinzugefügt, negative Verstärkung heißt, ein unangenehmer Reiz wird entfernt.

Der sehnsüchtige Blick in eine spannende Welt: Gerade Wohnungskatzen freuen sich über die Abwechslung, die ihnen das Clickertraining bietet.

Strafe

Unter Strafe versteht man etwas, das die Wahrscheinlichkeit senkt, dass ein bestimmtes Verhalten wieder gezeigt wird. Beim Clickertraining mit Katzen arbeiten wir nicht mit Strafe. Beachten Sie bitte auch, dass Bestrafung nicht auf körperliche Gewalt beschränkt ist. Je nach Sensibilität des Tieres kann Strafe schon ein scharf gesprochenes »Nein«, ein strenger Blick oder das Vorenthalten des Leckerlis nach dem Klick sein. Bewahren Sie beim Training stets die Ruhe. Im Zusammenleben mit Katzen sollte auf Strafe verzichtet werden, da sie einige Nachteile und sogar Schwierigkeiten mit sich bringt:

› Eine Bestrafung bewirkt nur eine Unterdrückung des Verhaltens oder eine Vermeidung der Situation. Bestraft man eine Katze, die gerade auf den Teppich uriniert, mit dem Strahl aus der Wasserpistole, kann es passieren, dass die Katze das nur noch heimlich macht. Eine grundsätzliche Veränderung des Verhaltens wird dadurch nicht erreicht, da durch Bestrafung keine alternativen Verhaltensweisen angeboten werden. Die Katze erhält keine Information darüber, wie sie sich stattdessen verhalten soll.

› Häufig löst eine Bestrafung sehr negative Emotionen aus, die zu Frust und Aggression führen können. Auch erhöhte Ängstlichkeit und mangelndes Selbstvertrauen können die Folge von Bestrafungen sein. Das belastet die Mensch-Katze-Beziehung.

Katzen sind sehr intelligente Tiere und ausgezeichnete Jäger. Auch wenn die Welt draußen viel Spannendes bieten kann, so haben selbst Katzen mit Freigang Spaß am Clickern – bedeutet es doch, dass sich ihr Mensch intensiv mit ihnen beschäftigt. Und das liebt fast jede Samtpfote.

So profitieren Sie vom Clickertraining

Clickern bringt Spaß und Abwechslung in den Alltag Ihres Vierbeiners. Katzen langweilen sich schnell, da sie von Natur aus aktive Raubtiere sind. Werden sie körperlich und geistig nicht sinnvoll beschäftigt, entwickeln sie oft Unarten. Katzen untereinander streiten sich dann häufiger, andere kratzen am Sofa oder knabbern an Pflanzen, um Aufmerksamkeit zu erhalten. Das Clickern stimuliert die »grauen Zellen« der Katze und fördert verborgene Talente.

Die Beziehung **stärken**

Auch Katzen mit Freigang freuen sich sehr über eine intensive Beschäftigung mit ihrem geliebten Menschen. Wenn Sie also die gute Beziehung zu Ihrem Vierbeiner weiter ausbauen möchten, ist das Clickertraining genau das Richtige für Sie und Ihr Tier. Gemeinsam sind Sie ein wirklich starkes Team!

Vorbereitungen für das Training

Das Clickertraining ist generell für alle Katzen geeignet – egal, welche Rasse, welches Alter, ob dick oder dünn, Freigänger oder Wohnungskatze. Bei jungen und alten Katzen ist zu beachten, dass die Konzentrationsfähigkeit noch nicht oder nicht mehr so groß ist. Eine ganz junge Katze muss natürlich schon feste Nahrung zu sich nehmen können, damit sie überhaupt mit Futter motiviert werden kann. Auch ihre motorischen Fähigkeiten sollten voll entwickelt sein. Dies ist meist ab einem Alter von sieben bis acht Wochen der Fall. Nun gewinnt auch das Spiel mit Objekten stark an Bedeutung.

Spielerisch anfangen Die mit zunehmendem Alter wachsende Neugier des Kätzchens an Gegenständen können Sie gleich für die ersten Übungen nutzen. Beginnen Sie etwa mit dem Targetstab (→ Seite 28), aber überfordern Sie das Tier nicht. Haben Sie Verständnis, wenn es keine Lust hat oder lieber spielen möchte. Zudem versteht es sich von selbst, Katzen nur etwas beibringen zu wollen, was sie aufgrund ihrer körperlichen Fähigkeiten und ihrer Entwicklungsreife auch ausführen können.

Natürliche Neigungen fördern Katzen sind sehr geschickt mit den Pfoten. Sie können hervorragend klettern und etwas Weiches in der Luft fangen. Nutzen Sie diese Fähigkeiten und beginnen Sie, sie gezielt zu fördern. So werden Sie viel Spaß miteinander haben. Die individuellen Vorlieben der Katze spielen dabei eine wichtige Rolle, wenn es darum geht, sich neue Trainingsaufgaben auszudenken. Ihre Katze bringt im Spiel vielleicht schon von allein ein Schaumstoffbällchen. Dieses spontan gezeigte Verhalten können Sie in das Training einbauen.

Behinderungen stören nicht Sogar mit blinden und tauben Katzen können Sie trainieren. Bei einem blinden Tier verändern Sie die Übungen so, dass seine funktionierenden Sinne (riechen, hören, tasten, fühlen) verstärkt mit einbezogen werden. Sie könnten etwa eine Targetspitze mit Futter einreiben oder ein Schaumstoffbällchen daraufstecken. Durch den Schaumstoff kann die blinde Katze die Spitze des Stabes deutlich vom Rest unterscheiden. Als Signal für eine Übung dient ein Hörzeichen. Eine taube Katze konditionieren Sie nicht auf den Klickton, sondern auf das Lichtsignal einer Taschenlampe. Beachten Sie, dass die Katze das Lichtsignal immer gut sieht, wenn es eingesetzt wird, und leuchten Sie nie in die Augen des Tieres. Das könnte zu Schädigungen der Augen führen.

Auch ein Lichtpunkt an der Wand lässt sich als Markersignal oder Target einsetzen.

Auswahl des passenden Clickers

Im Handel werden verschiedene Clickermodelle angeboten. Achten Sie beim Kauf eines Clickers auf Ihre individuellen Bedürfnisse und die Ihrer Katze. Für das Training mit mehreren Katzen gibt es Modelle, bei denen man verschiedene Töne einstellen kann. Jede Katze wird damit auf einen eigenen Ton konditioniert. Probieren Sie auch unbedingt aus, ob der Clicker gut in Ihrer Hand liegt und ob Sie ihn mit Ihrem Daumen schnell und leicht betätigen können. Das ist wichtig für ein gutes Timing. Es vereinfacht das Training sehr, wenn Sie nicht ständig durch ungeeignetes Werkzeug abgelenkt werden.

Die Vorteile des Clickers Es gibt verschiedene gute Gründe, mit einem Clicker zu arbeiten:

› Der Clicker erzeugt ein unverwechselbares und immer gleichbleibendes Geräusch, das im Alltag für gewöhnlich nicht vorkommt.

› Mit dem Clicker können Sie ein Verhalten exakt und punktgenau in der Sekunde bestätigen, in der es gezeigt wird.

› Der Klickton überbrückt Entfernungen und Zeit. Wenn sich Ihre Katze einige Meter entfernt von Ihnen befindet und ein gewünschtes Verhalten zeigt, können Sie dies mit dem Clicker im richtigen Moment bestätigen. Da die Katze weiß, dass auf den Klick eine Belohnung folgt, haben Sie nun Zeit, ein Leckerli zu holen und es ihr zu bringen.

› Der Clicker ist personenunabhängig und kann auch vom Catsitter benutzt werden, ohne dass seine Bedeutung verändert wird.

Grundsätzlich ohne Worte Vermutlich haben Sie sich schon gefragt, warum beim Clickertraining nicht mit Worten gearbeitet wird. Der Nachteil bei der Verwendung von Worten ist, dass wir Menschen mit unserer Stimme immer Gefühle transportieren. Das heißt, wir senden unserer Katze jedesmal eine andere Information. Die Katze orientiert sich am Tonfall und unserer Körpersprache und nicht am Inhalt der Worte. Testen Sie das, indem Sie Ihre Katze in einem liebevollen Tonfall mit einem Schimpfwort betiteln. Wahrscheinlich wird sie sich freuen, anfangen zu miauen oder sich an Ihnen zu reiben. Die Interpretation Ihrer Katze lautet: »Ich werde gelobt und freue mich darüber.« Auch wir orientieren uns bei Menschen, die eine andere Sprache sprechen, an deren Tonfall und Körpersprache.

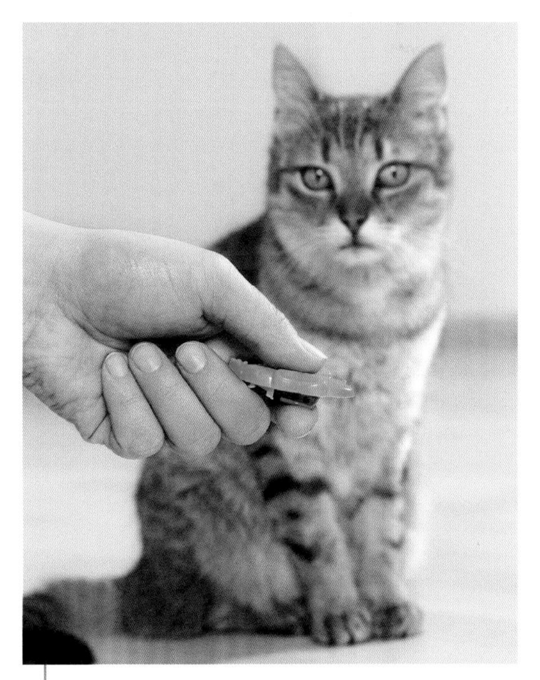

Bei der Suche nach dem richtigen Clicker haben Sie die Qual der Wahl – es gibt viele Modelle. Auch ein Knackfrosch erfüllt den Zweck.

Alternativen zum Clicker

Es kann passieren, dass man gerade dann den Clicker nicht zur Hand hat, wenn die Katze spontan ein Verhalten zeigt, auf das man schon lange gewartet hat. Oder Sie haben eine taube oder blinde Katze und möchten mit ihr üben. Für diese und andere Fälle gibt es einige Alternativen zum Clicker.

Zungenklick Sie können auch mit Ihrer Zunge einen Schnalzton erzeugen. Probieren Sie es aus – was stellen Sie fest? Wahrscheinlich bemerken Sie, dass der Ton nicht immer gleich ist. Manchmal kommt er etwas lauter, manchmal auch etwas leiser oder verzögert aus Ihrem Mund. Das könnte möglicherweise ein Timingproblem bewirken.

Lichtsignal Dafür können Sie eine Taschenlampe benutzen. Probieren Sie vorher aus, ob sie sich leicht an- und ausschalten lässt und ob das Licht klar und deutlich auf dem Boden zu sehen ist.

Hundepfeife Sie funktioniert nach demselben Prinzip wie der Clicker. Manche Hunde- oder Katzentrainer benutzen die Pfeife als Rufsignal, doch dann hat sie die Bedeutung eines Signals und wirkt nicht als Bestätigung des ausgeführten Verhaltens.

Wort Der Klick kann auch durch ein Wort ersetzt werden. Am besten wählen Sie einen kurzen, eindeutigen Begriff, der im Alltag nicht vorkommt.

Berührung Bei einer Berührung gelten die gleichen Prinzipien wie bei einem Klick oder einem Wort. Voraussetzung: Ihre Katze mag Berührungen und ist in unmittelbarer Reichweite Ihrer Hände.

Sonstiges Trainingszubehör

Hier stelle ich Ihnen noch weiteres Zubehör vor, das Ihr Training durchaus sehr erleichtern kann. Viele Dinge finden sich im gut sortierten Zoofachhandel oder aber in Ihrem Haushalt, und einiges können Sie sogar selbst herstellen. Wenn Sie nach Zubehör im Zoofachhandel suchen, empfehle ich Ihnen, sich auch in der Hundeabteilung umzusehen. Denn in der Katzenabteilung gibt es meist kein oder nur wenig geeignetes Trainingszubehör.

Leckerlibeutel Der Zoofachhandel bietet verschiedene Modelle von Futterbeuteln an, die Sie an Ihrem Hosenbund oder Gürtel befestigen können. Die meisten Beutel lassen sich mit einer Schnur

Belohnen Sie Ihre spielbegeisterte Katze am Ende einer Trainingseinheit mit einem besonders tollen Spiel.

zuziehen, damit keine Leckerlis herausfallen oder von der Katze geklaut werden können. Bitten Sie einen Verkäufer, ein Modell auszupacken, und testen Sie noch im Geschäft, wie gut und schnell Sie in den Beutel greifen können.

Hindernisse Aus Pappkartons lassen sich einfach und günstig interessante Hürden basteln. Schneiden Sie ein großes rechteckiges Stück Pappe aus. Ein paar Zentimeter vom rechten und linken Rand entfernt schneiden Sie bis zur Hälfte der Hürde zwei Schlitze hinein. Die Schlitze sind jeweils so breit, wie die Pappe dick ist. Dort stecken Sie zwei kleinere Pappstücke im rechten Winkel als Füße hinein – schon haben Sie ein kleines Hindernis.

Reifen Im Zoofachhandel gibt es spezielle Reifen zum Durchspringen. Schauen Sie aber auch einmal bei sich zu Hause. Vielleicht haben Sie im Nähkasten noch einen Stickrahmen oder in der Küche einen Tortenring. Ebenso gut können Sie sich aber auch aus Pappe einen Ring zurechtschneiden.

Agility-Set Wenn Sie »professionelle« Hindernisse für den Garten suchen, sollten Sie im Zoofachhandel beim Hundezubehör stöbern. Auch im Internet finden Sie Shops, die spezielles Agility-Zubehör in ihrem Sortiment führen.

Targets Ein Target ist ein Objekt, das die Katze mit der Pfote oder der Nase berühren soll. Meist wird ein Targetstab mit deutlich abgesetzter oder gekennzeichneter Spitze verwendet, doch kann auch ein Platzdeckchen als Target dienen. Damit lernt die Katze etwa, diesen Bodentarget mit dem Po zu berühren und darauf zu sitzen. Was Sie persönlich als Target bevorzugen, bleibt Ihnen überlassen. Im Handel finden Sie Teleskop-Targetstäbe mit integriertem Clicker. Ebenso gut können Sie aber auch einen Kochlöffel, eine Fliegenklatsche, ein Essstäbchen oder einen anderen Gegenstand benutzen.

So wirken Sie auf Ihre Katze

TIPPS VON DER KATZEN-EXPERTIN
Katja Rüssel

Bei jeder Interaktion mit unserer Umwelt senden wir Signale aus – bewusst oder unbewusst. Achten Sie daher auch beim Training aufmerksam auf Ihre Körpersprache und beobachten Sie, welche Reaktionen Sie damit bei Ihrer Katze auslösen.

BLICKKONTAKT Vermeiden Sie es, Ihrer Katze länger direkt in die Augen zu schauen. Blinzeln Sie hin und wieder und drehen Sie den Kopf zur Seite. So gehen Sie auf die Katzensprache ein. Ein länger dauernder Blickkontakt gilt nämlich als Drohgeste und kann Ihre Katze stark verunsichern. Wundern Sie sich also nicht, wenn Ihre Katze wegschaut oder die Augen schließt. Damit versucht sie lediglich, einen aus ihrer Sicht vorhandenen Konflikt zu vermeiden.

KÖRPERHALTUNG Manche Katzen irritiert es sehr, wenn man sich ihnen von vorn oder generell schnell nähert, sich über sie beugt oder mit der Hand direkt auf sie zukommt. Egal, ob beim Training oder im täglichen Umgang, nutzen Sie dieses Wissen, um Ihrer Katze zu signalisieren, dass sie Ihnen vertrauen kann.

Motivation ist alles

Widmen wir uns nun einem der wichtigsten Bestandteile des Katzentrainings – der passenden Belohnung. Alles ist eine Frage des richtigen Verstärkers, der richtigen Motivation. Katzen geht es wie uns Menschen: Ohne entsprechenden Anreiz werden sie nicht mitarbeiten. Wer von uns würde schon gern weiter zur Arbeit gehen, wenn er bereits einen Monat lang kein Geld bekommen hat?

Eine besondere Leckerei Zur Mitarbeit zwingen kann man eine Katze nicht. Zwang blockiert das Lernen, und Ihre Katze wird sich nur verweigern. Daher ist es sehr wichtig, etwas zu finden, was Ihre Katze als besondere Belohnung empfindet. Etwas, für das es sich aus Katzensicht lohnt, mitzumachen. Es kommt also darauf an, was Ihre Katze mag. Das sollten Sie herausfinden. Probieren Sie verschiedene Köstlichkeiten aus, bevor Sie mit dem Clickertraining beginnen. Denken Sie dabei auch ruhig an Dinge, die auf den ersten Blick nicht als Katzenleckerei gedacht sind. Manche Katzen würden für Sahne oder ein Stückchen Käse fast alles tun. Andere wiederum stehen auf Schinken oder gekochtes Hühnchen. Eine große Auswahl an verschiedenen Leckerlis finden Sie auch im Zoofachhandel. Man kann eine Katze zwar auch mit liebevollen Worten, Berührungen oder einem Spiel belohnen. Jedoch dauern diese Belohnungsarten viel länger und können vom beabsichtigten Lernziel ablenken. Daher hat die Motivation durch Fressbares eindeutige Vorteile.

Probieren geht über Studieren. Testen Sie aus, was Ihre Katze wirklich gerne frisst – selbst wenn es ein Klecks Sahne oder ein Stück Butter ist.

Die richtige Größe Neben dem besonderen Geschmackserlebnis ist die Größe der angebotenen Stückchen von Bedeutung. Je kleiner, desto besser. So kann das Leckerli schnell geschluckt werden, und es wird nicht zu viel Zeit mit Kauen verbracht. Kaut die Katze lange auf einem Häppchen herum, ist es meist vorbei mit der Konzentration. Ausgiebiges Kauen führt zu langen Pausen und bringt Sie und Ihre Katze aus dem Rhythmus. Denken Sie auch daran, dass beim Clickertraining das richtige Timing und das häufige Belohnen wichtig sind.

Normales Futter Benutzen Sie möglichst nicht das normale Futter als Leckerli – es sei denn, Ihre Katze frisst wirklich nichts anderes oder ist immer versessen darauf. Hat Ihre Katze aber erst einmal die Bedeutung des Clickers begriffen und Spaß am Training, gewinnt selbst normales Futter an Wert. Die Motivation wird übrigens auch durch Appetit gesteigert. Deshalb ist es sinnvoll, Trainingseinheiten vor den normalen Fütterungszeiten abzuhalten.

Besonderheiten beim Clickern

Wussten Sie, dass die unterschiedlichsten Tierarten mit dem Clicker trainiert werden können? Dazu zählen nicht nur Hunde und Katzen, sondern auch Lamas, Ziegen, Kaninchen, Hühner und sogar Fische. Die Voraussetzung für den Erfolg der Arbeit ist, dass artspezifische Eigenheiten und Fähigkeiten der jeweiligen Tierart berücksichtigt werden.

Begeisterung erkennen Wenn ich Hunde beim Clickern beobachte, fällt mir immer wieder auf, wie »elektrisiert« und überaus begeistert sie sind. Hunde verfügen im Gegensatz zu Katzen über eine für uns deutlicher erkennbare Körpersprache. Begeisterung bei einer Katze ist manchmal nicht so leicht wahrnehmbar. Katzen drücken ihre Freude anders und individueller aus als Hunde. Doch sie verstehen das Clickertraining genauso gut wie Hunde und haben genauso viel Spaß daran. Zum Beispiel sitzt mein Katzenmädchen beim Training häufig einfach vor mir und schaut mich intensiv an. Da ich sie gut kenne, weiß ich, dass sie jetzt voll bei der Sache ist und auf mehr wartet. Ganz im Gegensatz zu meinem Kater, der sich vor lauter Begeisterung an mir reibt, miaut und sich auf den Boden wirft.

Kurze Trainingseinheiten Sicherlich wissen Sie, dass sich eine Katze leicht von äußeren Reizen ablenken lässt. Es kann vorkommen, dass sie eine Übung abbricht, um zu erkunden, wohin die Taube geflogen ist, die gerade noch am Fenster saß. Dieses Verhalten ist völlig normal – trainieren Sie dann einfach später weiter. Machen Sie sich bewusst, dass das Clickertraining nur auf freiwilliger Basis funktioniert. Katzen sind von Natur aus sehr selbstbestimmte Wesen. Halten Sie daher die einzelnen Übungssequenzen kurz, damit es Ihrer Katze nicht langweilig wird. Ideal sind mehrere Einheiten von jeweils zwei bis fünf Minuten über den Tag verteilt.

Beide sind begeisterte Clickerfans. Arttypische Unterschiede zwischen Hund und Katze lassen sich gut im Alltag beobachten.

Das Naturell berücksichtigen Falls Sie eigene Übungen entwickeln, denken Sie daran, dass Katzen wahre Pfotenkünstler sind. Übungen, bei denen das Tier etwas mit der Nase finden oder in eine Richtung geschickt werden soll, funktionieren bei Hunden besser als bei Katzen. Das liegt am artspezifischen Verhalten beider Tierarten. Katzen jagen hauptsächlich nach Gehör und Sicht, Hunde dagegen spüren Beute mit der Nase auf. Auch jagen Katzen allein und von einem Ansitz aus – sie warten manchmal stundenlang vor einem Mauseloch und legen nur kurze Sprints hin. Der Hund ist ein Hetzjäger, der viele Kilometer in flottem Tempo zurücklegen kann. Eine Katze dagegen ermüdet bei lang andauernden schnellen Bewegungen bald. Wenn Sie diese Eigenheiten kennen und beachten, können Sie eigene Clickerübungen entwickeln und Übungsvorschläge für Hunde entsprechend abwandeln.

Clickern mit mehreren Katzen

Gehören Sie auch zu den glücklichen Menschen, die im Alltag von mehr als einer Katze begleitet werden? Vielleicht haben Sie sich schon gefragt, wie Sie es schaffen, mit mehreren Katzen zu clickern.

Der Reihe nach Gerade am Anfang ist es das Einfachste, mit jeder Katze einzeln zu trainieren. Bringen Sie die Katzen, die gerade nicht an der Reihe sind, in einen anderen Raum und schließen Sie die Tür. Ebenso gut können Sie aber auch mit Ihrer Trainingskatze in ein anderes Zimmer gehen, vielleicht in die Küche oder das Badezimmer. Damit sich die Katzen, die gerade nicht trainiert werden, nicht zu sehr ausgeschlossen fühlen, geben Sie ihnen während dieser Zeit am besten ein besonderes Spielzeug. Ein mit Katzenminze gefülltes Säckchen oder ein Futterball werden meist gerne angenommen. Ideal wäre, wenn sich in der Zwischenzeit ein anderes Familienmitglied mit den Katzen beschäftigen würde. Beim ersten Mal dürften Sie wahrscheinlich keine Schwierigkeiten haben, Ihre Katzen zu tren-

Gemeinsam macht das Clickertraining noch viel mehr Spaß. Jede Katze erhält eine farbige Wartebox, auf der sie geduldig ausharrt, während mit einem anderen Tier geübt wird.

nen, denn sie wissen ja noch nicht, was ihnen entgeht. Haben sie jedoch den »Braten gerochen« und verstanden, worum es geht, wird sich das ändern. Die Katzen merken schnell, dass hinter der verschlossenen Tür etwas ganz Spannendes passiert. Nehmen Sie in diesem Fall etwas Trockenfutter und werfen es in den »Warteraum«. Ihre Katzen werden hinterherlaufen, um die Stückchen zu fressen.

An die Arbeit!

Konzentrieren Sie sich ganz auf die Katze, mit der Sie üben wollen. Beim ersten Mal sollten Sie mit dem Tier beginnen, das besonders für Leckerlis zu haben ist. Es hat keine Motivationsschwierigkeiten und erleichtert Ihnen den Einstieg ins Clickertraining. Wie bei allem Neuen, müssen auch Sie als Trainer noch eine Menge lernen. Eine Katze, die gern für Leckerlis arbeitet, steckt Anfängerfehler locker weg. Alles, was Sie mit einem derart hoch motivierten Tier lernen, wird Ihnen bei der Arbeit mit einer vielleicht unsicheren oder introvertierten Katze von großem Nutzen sein. Zwar hören die anderen Katzen die Klicks durch die geschlossene Tür. Mit der Zeit lernen sie jedoch, dass diese Klicks nicht für sie bestimmt sind, da darauf keine Leckerbissen folgen. Üben Sie neue Tricks zunächst mit jeder Katze einzeln ein, bis die Übung sitzt und Sie ein Signal dafür eingeführt haben. Danach können auch die anderen Katzen mit von der Partie sein.

Mit mehreren Katzen üben Gelingt es nicht, die Katzen zu trennen, wenden Sie sich nur der Katze zu, mit der Sie gerade trainieren möchten. Ignorieren Sie die anderen. Natürlich können Sie jede Katze auf ein eigenes Klickgeräusch konditionieren. Achten Sie dann aber darauf, dass Sie die Geräusche nicht verwechseln und immer nur die Katze belohnen, für die das jeweilige Geräusch gedacht ist.

Sitzen auf der Wartebox

SCHRITTE	SO GEHT'S
VORBEREITUNG	Als Warteboxen verwenden Sie farbige Kunststoffboxen aus dem Baumarkt. Für jede Katze nehmen Sie eine Farbe. Besorgen Sie auch ein farbig passendes Platzdeckchen, das Sie mit doppelseitigem Klebeband aufkleben. Das ist angenehmer für die Katzen und gibt den Pfoten Halt.
EINZELN ÜBEN	Trainieren Sie mit jeder Katze einzeln vorab »Sitz« auf der Box. Allmählich erhöhen Sie die Dauer des Sitzens wie in der Übung »Ins Körbchen« (→ Seite 30/31) beschrieben. Ablenkungen üben Sie ebenfalls schrittweise ein.
GEMEINSAM TRAINIEREN	Bringen Sie alle Katzen erst zusammen, wenn jede Einzelne für eine bestimmte Zeit zuverlässig auf ihrer Box sitzen bleibt. Später, wenn Sie mit einer Katze trainieren, geben Sie den auf ihrer Box wartenden Tieren zwischendurch immer wieder ein Leckerli.

Einige Regeln beherrschen lernen

Damit schon die Anfänge Ihres Clickertrainings mit Erfolg gekrönt sind, sollten Sie einige Grundregeln bei der Arbeit beherzigen.

Das richtige Timing

Exaktes Timing ist enorm wichtig beim Clickern. Das bedeutet, genau in dem Moment zu klicken, in dem das gewünschte Verhalten gezeigt wird – nicht davor und nicht danach. Wenn Sie den richtigen Zeitpunkt verpassen, verstärken Sie möglicherweise etwas, das Sie gar nicht wollen. Wenn Sie Ihrer Katze etwa das Heben der Pfote beibringen möchten, müssen Sie genau dann klicken, wenn Ihre Katze die Pfote anhebt. Falls Sie erst klicken, wenn die Pfote wieder gesenkt wird, verstärken Sie das Absetzen der Pfote. Sie erleichtern sich das Erkennen des richtigen Klick-Moments, wenn Sie beim Training eine Position wählen, die es Ihnen ermöglicht, die kleinsten Bewegungen Ihrer Katze schon im Ansatz wahrzunehmen. Setzen Sie die Katze daher beim Training auf einen Tisch oder begeben Sie sich hinab zu ihr auf den Boden, sodass Sie die Beine des Tieres besser sehen können.

Trainingsplan Um Ihre Übungen möglichst effizient zu gestalten, sollten Sie einen Trainingsplan erstellen. Legen Sie darin fest, was Sie wie erreichen wollen und welches Signal Sie dafür wählen. Notieren Sie sich nach jeder Trainingseinheit, wie die Übungen verlaufen sind. Was hat gut funktioniert, was nicht? So kennen Sie stets den aktuellen Trainingsstand und können beim nächsten Mal entscheiden, ob Sie die Anforderungen schon weiter erhöhen können oder lieber senken sollten – eine wichtige Entscheidung. Immer wenn Ihre Katze ein Verhalten zuverlässig und selbstständig im Training ausführt, können Sie die Anforderung leicht steigern. Beispiel: Ihre Katze bleibt für drei Sekunden sitzen. Macht sie dies so gut wie immer bei jedem Sitz-Training, so können Sie die Dauer auf vier

Jetzt ist genau der richtige Moment für den Klick – verpassen Sie ihn nicht.

Sekunden erhöhen. Üben Sie so lange, bis Ihre Katze zuverlässig und von selbst vier Sekunden sitzen bleibt. Sollte sie vorher aufstehen, müssen Sie weiter an der Dauer von drei Sekunden arbeiten. Dieses Prinzip gilt für jeden weiteren Trainingsschritt.

Das Prinzip des Shaping

Das Formen eines bestimmten Verhaltens bezeichnet man als Shaping (englisch *shape* = Form). Beim Shaping verstärken Sie jeden Schritt, der die Katze näher an das gewünschte Zielverhalten heranbringt.

Schritt für Schritt auf der Leiter Stellen Sie sich den Shaping-Prozess wie eine Leiter vor. Die oberste Sprosse ist das Ziel, also das gewünschte Verhalten, die unterste Sprosse steht für die einfachste Ausführung des Verhaltens. In der Mitte liegen die einzelnen Zwischenschritte. Wie im realen Leben kommen Sie nur nach oben, wenn Sie jede Sprosse der Leiter einzeln erklimmen. Am sichersten erreichen Sie die oberste Stufe, wenn Sie nacheinander Sprosse für Sprosse hochsteigen. Stehen Sie sicher mit beiden Füßen auf einer Sprosse, können Sie einen Schritt weitergehen. Sind die Abstände zwischen den Sprossen zu groß, werden Sie Mühe haben, die nächste zu erreichen. Vielleicht gelangen Sie gar nicht ans Ziel, weil Sie Ihre Versuche frustriert abbrechen. Übersteigen Sie eine oder mehrere Sprossen, besteht die Gefahr, abzurutschen.

Überlegt trainieren Ihre Aufgabe als Trainer besteht darin, das Zielverhalten in kleine Schritte aufzugliedern. So hat Ihre Katze die größten Aussichten auf Erfolg. Diese Schritte können bei einzelnen Katzen ganz unterschiedlich sein. Einfache Schritte ermöglichen es Ihnen, Ihre Katze häufig zu belohnen, und das motiviert den Vierbeiner. Er hat Spaß am Training und vor allem daran, neue Dinge zu lernen. Folgendes Beispiel verdeutlicht das Shaping: Ihre Katze soll sich auf eine Box setzen. Das ist das gewünschte Zielverhalten und entspricht der obersten Sprosse der Leiter. Beginnen Sie bei der untersten Sprosse – klicken und belohnen Sie das erste Ansatzverhalten Ihres Tieres, das Sie erkennen: den Blick zur Box. Die nächste Sprosse könnte das Hingehen zur Box sein, dann das Riechen daran. Es folgt das Aufsetzen einer Pfote, zweier Pfoten – bis die Katze zuverlässig auf der Box steht. Anschließend warten Sie, bis die Katze sich hinsetzt. Klicken und belohnen Sie jeden Ansatz in die richtige Richtung. Jeder Schritt wird nur einige Male verstärkt, bis er sicher gezeigt wird. Dann warten Sie ab, ob Ihre Katze eine Steigerung anbietet. So können Sie allmählich jedes gewünschte Verhalten aufbauen.

Erste Fortschritte Mit Shaping lassen sich feine Nuancen eines gelernten Verhaltens herausarbeiten. Sie können z. B. nur noch bei Sprüngen über ein Hindernis klicken, die eine gewisse Höhe haben. Oder Sie trainieren die Dauer eines gezeigten Verhaltens, wie dem Sitzen auf einer Box. Arbeiten Sie immer nur an einem Kriterium. Wollen Sie etwa die Höhe des Sprunges trainieren, so lassen Sie andere Kriterien wie die Geschwindigkeit außer Acht.

Kleine Hilfestellungen geben

Gestalten Sie die Trainingsbedingungen so, dass es Ihrer Katze leichtfällt, das gewünschte Verhalten zu zeigen. Ein Beispiel soll dies verdeutlichen: Halten Sie den Targetstab (→ Seite 28) vor und nicht neben die Katze. So steigt die Wahrscheinlichkeit, dass sie den Stab berührt. Oder platzieren Sie ein Hindernis so, dass sich Ihre Katze nicht daran vorbeimogeln kann.

Verhaltensketten nutzen

Verhaltensketten bestehen aus einzelnen Verhaltenselementen, die nacheinander in einer gewissen Reihenfolge gezeigt werden. Sie eignen sich vor allem bei komplexen Aufgaben. Stellen Sie sich eine Kette vor. Jedes Kettenglied steht für eine Übung, die so lange trainiert wird, bis die Katze sie beherrscht. Anschließend werden alle Elemente, von hinten beginnend, zusammengesetzt. Ein Beispiel zur Übung »Von Stuhl zu Stuhl durch einen Reifen springen«. Üben Sie die Elemente einzeln ein. Beginnen Sie mit dem letzten Teil der Übung, dem Herabspringen vom zweiten Stuhl, bis ihn Ihre Katze beherrscht. Danach trainieren Sie den vorletzten Schritt und arbeiten sich so bis zum Anfang der Übung durch. Kann Ihre Katze jeden Schritt, fügen Sie die Elemente zusammen. Da die Katze die letzten (vor ihr liegenden) Teile schon kennt und dafür kräftig belohnt wurde, ist sie hoch motiviert. Es fällt ihr leichter, die ersten Teile der Übung auch zu meistern. Belohnen Sie zwischendurch die erfolgreichen Schritte. Sitzt dann jedes Element der Übung, gibt es am Ende Klick und Belohnung.

Ein Signal einführen

Haben Sie beim Spaziergang auch schon einmal einen Hundehalter gesehen, der seinem Hund »Hier, Bello, hier!« hinterherruft? Bello jedoch ent-

Von Hocker zu Hocker und dabei durch einen Reifen zu springen ist schon eine Übung für Fortgeschrittene. Am Ende erhält die Katze den Klick und die Belohnung.

fernt sich immer weiter und scheint andere Dinge im Kopf zu haben. Das zeigt, dass Bello das Signal »Hier« noch nicht ausreichend gelernt hat. Jemand, der die Zusammenhänge nicht kennt, meint dann, Bello sei stur und wolle einfach nicht gehorchen. Damit Bello und Miez wissen, was Ihre Signale – es können Worte oder Handzeichen sein – bedeuten, müssen Sie sie ihnen zunächst richtig beibringen.

So geht's Ein Signal wird immer erst dann eingeführt, wenn das entsprechende Verhalten zuverlässig – also in mindestens 80 Prozent der Übungen – ausgeführt wird. Der richtige Zeitpunkt dafür ist gekommen, wenn Sie 100 Euro darauf verwetten würden, dass Ihre Katze jetzt gleich das gewünschte Verhalten zeigt. Das Signal wird kurz vor dem Verhalten gegeben und anschließend wird geklickt. Ich verdeutliche Ihnen den Ablauf am Beispiel »Sitz«: Sie wissen, Ihre Katze wird sich jetzt gleich hinsetzen. Kurz bevor die Katze ihr Hinterteil senkt, geben Sie ihr das Signal »Sitz«. Der Klick erfolgt, wenn die Katze sitzt – er schließt das Verhalten ab. Anschließend geben Sie ihr das verdiente Leckerli. Ist das Wort oder Handzeichen einmal gelernt, belohnen Sie Ihre Katze nur noch, wenn Sie vor dem Verhalten das Signal dazu gegeben haben. Achten Sie auf ein gutes Timing. Ein Signal, das während oder nach dem Verhalten gegeben wird, kann nicht richtig verknüpft werden.

Kontrolle tut not Testen Sie bitte, wie sicher Ihr Tier ein Signal beherrscht: Unter den üblichen Trainingsbedingungen befolgt Ihre Katze das Signal. Nun verändern Sie die bisherige Situation, indem Sie z. B. Ihr rechtes Bein heben oder einen Arm ausstrecken, während Sie das Signal geben. Wenn die Katze dennoch richtig auf das Signal reagiert, hat sie es gelernt. Testen Sie weiter und geben Sie das Signal, wenn Sie liegen oder der Katze den Rücken zudrehen. Führt das Tier das gewünschte Verhalten nicht aus, arbeiten Sie weiter an der Festigung des Signals, indem Sie die Ablenkungen während des Trainings langsam erhöhen. Üben Sie in unterschiedlichen Räumen und Situationen, unter verschiedenen Bedingungen und zu anderen Zeiten.

Wenn die Katze ein Verhalten zuverlässig ausführt, können Sie dafür ein Signal einführen.

Die Clickerübungen

Mit dem nötigen Hintergrundwissen ausgestattet, sind Sie nun bereit für die Praxis. Die Übungen, die ich Ihnen hier vorstelle, eignen sich hervorragend dazu, um ins Clickertraining einzusteigen. Mit etwas Erfahrung fallen Ihnen bestimmt noch viele weitere Tricks ein, die Sie mit Ihrer Katze trainieren können.

Der Einstieg ins Clickern

Bevor Sie mit Ihrer Katze zu trainieren beginnen, macht es Sinn, selbst einmal in die Rolle Ihres Vierbeiners zu schlüpfen. Dabei haben Sie die einmalige Gelegenheit, die Hürden der Verständigung zwischen Katze und Mensch hautnah zu erleben.

Das Clickerspiel für Menschen

Bestimmt kennen Sie das Kinderspiel Topfschlagen. Dabei werden einem Kind die Augen verbunden. Ein weiteres Kind versucht nun mit den Worten »warm« und »kalt«, dem anderen Kind den Weg zu einem Topf zu weisen, unter dem Süßigkeiten versteckt sind. Beim Clickerspiel für Menschen gibt es zwar kein Signal für »kalt«, dafür aber jeweils einen Klick für »warm«. Eine Person übernimmt die Rolle des Trainers, während Sie in die Rolle der »Katze« schlüpfen. Es geht nicht darum, dass Sie das Tier nachahmen. Ebenso dürfen weder Sie als »Katze« noch der Trainer beim Spiel sprechen. Sämtliche Informationen, die Sie benötigen, erhalten Sie durch die Klicks. So wissen Sie, für welches Verhalten Sie eine Belohnung bekommen können. Der Trainer braucht also ein gutes Gespür für das richtige Timing. Auch sollte er sich vorab darüber im Klaren sein, um welches Trainingsziel es geht und bei welchem Verhalten er klicken muss, um Sie beide weiterzubringen.

Vorteile des Spiels Anders als beim Clickertraining mit einer echten Katze können Sie sich hinterher austauschen. Der Trainer kann also die »Katze« fragen, was sie meinte, wie die Aufgabe lauten sollte. Wundern Sie sich bitte nicht, wenn manchmal etwas völlig anderes herauskommt, als Sie selbst erwartet hatten. Das passiert. Überlegen Sie auch, ob es möglicherweise im Lauf des Spiels Momente gab, in denen Sie als »Katze« frustriert waren, weil Sie nicht wussten, was der Trainer von Ihnen wollte. Das hilft Ihnen später, Ihre Katze besser zu verstehen und Ihre eigene Vorgehensweise beim Clickern auf sie abzustimmen.

So funktioniert das Spiel Zu Beginn überlegt sich der Trainer eine möglichst einfache Aufgabe. Das fördert die Motivation der »Katze«, am Ball zu bleiben und viele verschiedene Verhaltensweisen anzubieten beziehungsweise auszuprobieren.

Als Beispiel nehmen wir hier das Trainingsziel, zu einem bestimmten Stuhl zu gehen und sich daraufzusetzen. Vielleicht steht die »Katze« vor dem Trainer und schaut ihn fragend an: »Was soll ich tun?« Der Trainer muss Sie nun ganz genau beobachten und bei der ersten Bewegung in die gewünschte Richtung, die er wahrnimmt, oder beim ersten Blick Richtung Stuhl klicken. Wahrscheinlich werden Sie als »Katze« das eben geklickte Verhalten nochmals anbieten, denn schließlich wurde Ihnen durch den Klick vermittelt: »Das, was du gerade tust, ist genau richtig.« Wieder gibt es einen Klick dafür. Damit Sie jedoch nicht bei dieser Bewegung stehenbleiben, sollte der Trainer ab sofort nicht mehr dafür klicken, sondern warten, bis Sie einen Schritt weitergehen oder ihm eine andere neue Bewegung anbieten, die Sie dem Ziel näherbringt. Schritt für Schritt klickt der Trainer die »Katze« zum Stuhl. Da für uns Menschen die Verwendung eines Stuhles klar ist, wird es nicht lange dauern, bis die »Katze« sich setzt. Gut gemacht, jetzt ist ein Extralob fällig!

Beim Clickerspiel für Menschen können Sie sich in die Rolle Ihrer Katze hineinversetzen. So lassen sich Fehler beim Üben mit der Katze vermeiden.

Eine Stufe schwieriger Sie können die Aufgabe erschweren, indem der Trainer die Position des Stuhles bewusst wählt. Am Anfang sollte er es der unerfahrenen »Katze« einfach machen. Er kann z. B. den Stuhl sehr präsent im Raum positionieren, sodass die »Katze« sofort darauf aufmerksam wird. Vielleicht hat sie dann ja die Aufgabe schon in wenigen Augenblicken verstanden und gelöst – vorausgesetzt, der Trainer hat die richtigen Aktionen der »Katze« jeweils per Klick verstärkt. Wenn Sie beide etwas geübt sind, können Sie sich auch noch schwerere Aufgaben stellen, etwa einen Bleistift und ein Blatt Papier auf den Tisch legen. Die »Katze« soll nun herausfinden, dass sie den Stift aufnehmen und ein Kreuz oder einen Kreis auf das Papier malen soll. Oder Sie nehmen ein paar Kinderbausteine, die die »Katze« in einer bestimmten Art und Weise zusammenstecken soll.

Jeder darf mal »Katze« sein Wechseln Sie nach einem Durchgang die Positionen, sodass jeder von Ihnen einmal spüren kann, wie es sich anfühlt, Trainer und »Katze« zu sein. Wichtig: Um Frust zu vermeiden, der zu Inaktivität führt, muss der Trainer bei jedem noch so kleinen Schritt in die richtige Richtung klicken. Das bedeutet, dass Sie zu lange Klickpausen vermeiden sollten.

1 HERBEILOCKEN Bevor Sie mit dem Konditionieren auf den Clicker beginnen, rufen Sie Ihre Katze zu sich. Notfalls locken Sie sie mit einem Leckerli.

2 KONDITIONIEREN Ihre Katze soll das Klickgeräusch kennenlernen. Achten Sie darauf, dass sie bei dieser Übung nicht die ganze Zeit sitzt, sonst lernt sie, dass es dazugehört.

3 BELOHNEN Ihre Katze verknüpft den Klick mit dem Leckerli. Daher muss dieses innerhalb einer Sekunde nach dem Klick gegeben werden.

Die Konditionierung auf den Clicker

Ziel Durch die klassische Konditionierung soll Ihre Katze den Klick kennenlernen und das Geräusch mit der Gabe ihres Lieblingsleckerlis verknüpfen.

Vorab Sorgen Sie dafür, dass Sie beim Training nicht gestört werden und dass nichts die Katze ablenken kann. Halten Sie ca. zehn Stückchen von den Lieblingsleckerlis bereit. Diese sollten möglichst klein und weich sein, damit nicht zu viel Zeit zwischen dem Klick und dem Schlucken des Happens vergeht. Testen Sie als Erstes, ob Ihre Katze angstfrei auf das Klickgeräusch reagiert. Wenn sie dableibt und interessiert schaut, können Sie mit der Konditionierung beginnen. Erschrickt sie jedoch vor dem Geräusch, stecken Sie den Clicker in die Hosentasche und betätigen ihn dort. Das dämpft die Lautstärke. Wenn auch das nicht hilft, sollten Sie Ihre Katze desensibilisieren (→ Seite 50/51).

So geht's Nehmen Sie die Leckerlis in die geschlossene Hand und den Clicker in die andere Hand. Klicken Sie und geben Sie Ihrer Katze sofort (innerhalb einer Sekunde) ein Leckerli. Wichtig ist, dass Sie erst NACH dem Klick die Hand mit den Leckerlis bewegen, damit sich Ihre Katze auch wirklich nur auf das Geräusch konzentriert. Wiederholen Sie dies ungefähr eine Minute lang oder bis die zehn Leckerlis aufgebraucht sind. Nun beenden Sie die erste Übungseinheit. Machen Sie eine Pause und wiederholen Sie das Ganze etwa einen halben Tag später. Meist reicht das aus – Ihre Katze hat verstanden, dass jedem Klick ein Leckerli folgt. Die Konditionierung auf den Clicker ist abgeschlossen.

Hilfe Bei der Konditionierung muss Ihre Katze noch nichts Bestimmtes machen. Allerdings ist es von Vorteil, wenn sie währenddessen nicht nur sitzt, sondern sich zwischendurch auch bewegt. Sonst könnte es passieren, dass die Katze lernt, das Sitzen gehört zum Klick dazu, und im späteren Training wenig anderes Verhalten anbietet. Um Ihren Vierbeiner dazu zu bringen, sich zwischendurch zu bewegen, gehen Sie einfach einen Schritt auf ihn zu oder nach dem Füttern einen Schritt von ihm weg. Er wird Ihnen wahrscheinlich folgen. Bitte beachten Sie: Sprechen Sie während des Konditionierens nicht mit Ihrer Katze. Dies würde sie nur verwirren und in ihrer Konzentration stören.

Vorbereitungen für das Training

Utensilien

Legen Sie sich zuvor alle notwendigen Trainingsutensilien zurecht und halten Sie die Leckerlis bereit. Den Clicker haben Sie sowieso schon griffbereit. Holen Sie sich den Targetstab und probieren Sie aus, in welcher Hand Sie den Clicker halten möchten. Bauen Sie ein paar Hindernisse auf, bevor die Katze mit Ihnen im Raum ist.

Ohne Worte

Sprechen Sie während des Trainings nicht mit Ihrer Katze. Worte sind nie so eindeutig wie die richtige Verwendung des Clickers. Sie beide werden davon profitieren und können sich besser auf das richtige Timing und die Übung konzentrieren. Nach dem Klick können Sie Ihre Katze mit Worten loben.

Konzentration

Sorgen Sie für eine optimale Trainingssituation ohne Ablenkungen. Üben Sie nur, wenn Sie entspannt sind und die Katze nicht müde ist. Ablenkungen können Sie einbauen oder erhöhen, wenn eine Übung in einer reizarmen Umgebung gut funktioniert.

Motivation

Was für die eine Katze motivierend ist, kann für eine andere Katze nicht mal einen Blick wert sein. Motivation ist etwas sehr Individuelles. Beobachten Sie vorher Ihr Tier. Was mag oder frisst es gern? Das verwenden Sie als Verstärker für das Training. Bitte haben Sie auch Verständnis, falls die Katze nicht dann trainieren will, wenn Sie es möchten. Gründe dafür können sein, dass es ihr nicht gut geht, sie müde oder satt ist oder sie es gerade viel spannender findet, draußen Vögel zu beobachten.

Das Ziel

Überlegen Sie sich, was Sie mit Ihrer Katze trainieren möchten. Je genauer Ihre Vorstellungen sind, desto präziser können Sie Ansatzverhalten und die richtigen Einzelschritte erkennen und verstärken. Legen Sie ein erreichbares Trainingsziel für jede Übungseinheit fest.

Training mit dem Targetstab

Ziel Die Katze soll mit ihrer Nase den Targetstab an der Spitze berühren und ihm folgen.
Vorab Überlegen Sie, welche Zwischenschritte Sie klicken können. Probieren Sie vorher aus, wie Sie Clicker und Targetstab am besten halten und das Futter geben. Viele Trainer halten Targetstab und Clicker in einer Hand, um die andere Hand für das Futter frei zu haben. Bereiten Sie zehn Leckerlis vor.
So geht's Halten Sie Ihrer Katze den Targetstab leicht seitlich und in ein paar Zentimeter Abstand vor das Gesicht. Gehen Sie in folgenden Schritten vor:

1 Als Erstes lernt die Katze, den Targetstab mit der Nase zu berühren. Wenn sie das zuverlässig und von allein macht, führen Sie das Signal »touch« ein.

2 Die Katze soll den Target nicht mit der Pfote berühren. Achten Sie daher auf die Handhabung des Targets, um die Katze nicht zum Pföteln zu verleiten.

› Klicken Sie schon das erste Ansatzverhalten, das Sie sehen, z. B. **Blick der Katze zum Target = Klick → Futter.**

› Nach dem Klick entfernen Sie den Target, greifen zu den Leckerlis und geben Ihrer Katze eines. Während die Katze frisst, positionieren Sie den Target erneut vor ihr und wiederholen das Ganze.

› Es folgt die Berührung des Targets mit der Nase: **Nase an Targetspitze = Klick → Futter.**

› Steigern Sie langsam die Anforderung: Mieze soll sich nach dem Stab recken. Dafür halten Sie den Targetstab etwas weiter weg. **Kopf wird gestreckt und Target berührt = Klick → Futter.**

› Gehen Sie Schritt für Schritt vor, bis die Katze das Verhalten von allein anbietet. Beenden Sie die erste Übungseinheit, wenn zehn Leckerlis gegeben sind. Am Ende erhält die Katze eine Extraportion Leckerlis und ein dickes Lob.

› Beim nächsten Mal bieten Sie Ihrer Katze den Target einmal von rechts, von links, von oben und von unten kommend an.

› Wenn Ihre Katze zuverlässig die Spitze mit der Nase berührt, egal, aus welcher Richtung der Targetstab dargeboten wird, halten Sie den Stab so weit weg, dass die Katze einen Schritt auf den Target zu machen muss: **ein Schritt → Berühren des Targetstabs mit der Nase = Klick → Futter.** Bauen Sie so das Training schrittweise auf, bis die Katze dem Target zuverlässig folgt.

Hilfe Klicken und belohnen Sie keine Berührungen des Targets mit der Pfote. Ihre Katze könnte das Training sonst mit einem Spiel verwechseln. Sollte Ihre Katze gar kein Interesse am Targetstab zeigen, reiben Sie die Spitze mit etwas Futter ein.

So halten Sie Ihre Katze bei Laune

Sie und Ihre Katze werden schnell erste Erfolge beim Clickertraining erzielen, wenn Sie einige Dinge beachten. Vor allem sollten Sie es immer genießen, mit Ihrem Liebling neue Dinge zu lernen. Gemeinsam sind Sie unschlagbar!

Tut gut

- Gehen Sie nicht unvorbereitet in eine Trainingseinheit. Wenn Sie einen Plan haben, wissen Sie, welches Verhalten Ihrer Katze Sie ein Stück weiterbringt.
- Stellen Sie Ihrer Katze am Anfang einfache Aufgaben. Das bringt Erfolge, motiviert und macht Lust auf mehr.
- Beenden Sie das Training, bevor Ihre Katze das Interesse verliert. Versuchen Sie, jedes Training mit einem Erfolgserlebnis zu beenden und Ihre Katze entsprechend zu belohnen.
- Erwarten Sie keine Perfektion. Wenn etwas nicht funktioniert, probieren Sie einfach etwas anderes aus. Manchmal tut auch eine Pause gut.

Besser nicht

- Sprechen Sie vor dem Klick nicht zur Katze, denn Worte verwirren sie nur. Nach dem Klick können Sie sie loben.
- Schieben, ziehen oder drücken Sie während des Trainings nicht an Ihrem Tier herum und korrigieren Sie es nicht mit »Nein« oder Ähnlichem.
- Das Clickertraining soll von der Katze keine Leistung fordern. Es bietet ihr nur die Option »wenn du etwas Bestimmtes machst, erhältst du ein Leckerli«.
- Klicken Sie nie einfach nur so. Verwenden Sie den Clicker nicht, um die Katze zu rufen oder ihre Aufmerksamkeit zu erringen. Dabei geht die Bedeutung des Klicks verloren.

Ein paar Tricks, die Spaß machen

»Sitz«

Ziel Ihre Katze soll sich vor Sie hinsetzen.
Vorab »Sitz« zählt zu den einfachsten Übungen, da sich jede Katze mehrmals am Tag aus freien Stücken hinsetzt. Wenn Sie Ihren Vierbeiner für das Training rufen, wird er sich bestimmt schon ganz von allein hinsetzen, voller Erwartung, was nun Spannendes passieren wird.
So geht's Setzt sich Ihre Katze nur zögerlich hin, klicken Sie jede Ansatzbewegung, die zum Sitzen führt: **Katze senkt das Hinterteil = Klick → Futter.** Dann klicken Sie nur noch, wenn das Hinterteil weiter Richtung Boden geht, bis das Tier schließlich sitzt. **Katze senkt das Hinterteil und setzt sich = Klick → Futter.**

› Werfen Sie nun ein Futterstückchen etwas weiter weg, sodass die Katze aufstehen muss, um es sich zu holen. Dadurch ergibt sich gleich die nächste Gelegenheit, das Sitzen zu verstärken.

› Der erste Durchgang dauert ca. zwei Minuten oder bis Sie zehn Leckerlis gegeben haben. Beenden Sie das Training mit einem Erfolgserlebnis für die Katze und Sie selbst.

› Bietet die Katze das Verhalten von allein an, ist es Zeit, ein Signal einzuführen. Als Wortsignal können Sie »Sitz« oder als Handsignal den erhobenen Zeigefinger nehmen. Sie erkennen, Ihre Katze wird sich jetzt setzen. Sagen Sie »Sitz« und klicken Sie, wenn das Hinterteil der Katze den Boden berührt. Geben Sie anschließend das Leckerli. Ihre Katze darf nach dem Klick wieder aufstehen, denn er beendet ja das Verhalten. **»Sitz« → Katze setzt sich = Klick → Futter.**

› Damit Ihre Katze auch dann noch das Signal befolgt, wenn sie abgelenkt ist, beginnen Sie, die bisherige Trainingssituation leicht zu variieren. Geben Sie Ihrer Katze das Signal und verändern Sie dabei leicht Ihre Körperhaltung oder etwas in der Umgebung. Setzt sie sich, können Sie die Ablenkungen steigern. Wenn nicht, beginnen Sie mit minimalen Veränderungen.

Dieses perfekte »Sitz« verdient eine Extrabelohnung. Die Übung zählt zu den einfachsten und kann am Beginn des Clickertrainings stehen.

Klicken und belohnen Sie Schritt für Schritt jede eigenständige Annäherung, die Ihre Katze zum Körbchen hin macht.

Sitzt Ihre Katze im Korb, können Sie an der Dauer trainieren. Beginnen Sie mit einer Sekunde und erhöhen Sie die Zeitspanne, wenn sich das Tier wohlfühlt.

› Anschließend trainieren Sie die Dauer. Zuerst gibt es den Klick nach einer Sekunde Sitzen. Klappt das sicher, nur noch nach zwei Sekunden usw.

Hilfe Möchten Sie z. B. an den Ablenkungen arbeiten, ist die Dauer nebensächlich. Es empfiehlt sich auch bei einer Steigerung der Ablenkungen, mit einer niedrigen Dauer zu arbeiten. Merken Sie sich: Trainieren Sie nie an zwei Kriterien gleichzeitig.

»Ins Körbchen«

Ziel Die Katze soll sich in ihr neues Körbchen setzen und zwei Sekunden darin bleiben.

Vorab Setzen Sie sich auf den Boden oder einen Stuhl. Stellen Sie das Körbchen 1 m entfernt auf.

So geht's Klicken Sie jedes Interesse Ihrer Katze am Körbchen – ein Blick dorthin, daran schnuppern oder sich daran reiben. **Katze blickt zum Korb = Klick → Futter.**

› Werfen Sie ein Leckerli etwas vom Körbchen weg und zwar so, dass Sie deutlich erkennen, wenn sich die Katze erneut dem Korb zuwendet. Füttern Sie die Katze aber auch einmal, wenn Sie direkt neben Ihnen ist. So wird sie sich umdrehen müssen, um das Körbchen ansehen zu können. Sie erkennen daran, ob die Katze verstanden hat, um was es geht. Das ist die nächste Gelegenheit für den Klick.

› Ihre Katze dreht nun ganz bewusst den Kopf Richtung Korb. Steigern Sie die Anforderung: Klicken Sie ab sofort jede aktive Annäherung an den Korb. **Schritt Richtung Korb = Klick → Futter.**

› Klicken und belohnen Sie im Folgenden erst eine Pfote im Korb, dann zwei, schließlich alle viere usw. Steht Ihre Katze im Korb, geben Sie ihr das Signal »Sitz«. Setzt sie sich, klicken Sie und belohnen sie.

› Geht Ihre Katze zuverlässig von allein zum Korb und setzt sich, führen Sie ein eigenes Signal dafür ein. **»Ins Körbchen« → Katze geht zum Korb und setzt sich = Klick → Futter.**

› Bleibt Ihre Katze zuverlässig eine Sekunde sitzen, erhöhen Sie den Zeitraum auf zwei Sekunden. Steht sie vorher auf, üben Sie weiter das Sitzen für die Dauer von einer Sekunde.

»Lay down«

Ziel Die Katze soll die »Sphinx-Stellung« einnehmen. Dabei kauert sie mit dem Bauch am Boden, die Hinterbeine befinden sich unter dem Bauch, die Vorderbeine sind parallel nach vorn ausgestreckt.

Vorab Klicken Sie das Verhalten spontan, wenn die Katze es im Alltag zeigt, oder shapen (formen) Sie es (→ Seite 19).

So geht's Die Ausgangsposition ist die Übung »Sitz« (→ Seite 30). Sobald Ihre Katze den Kopf senkt, am Boden schnuppert oder sich etwas hinkauert, d. h. den Rumpf Richtung Boden absenkt, klicken Sie. **Körper wird zum Boden abgesenkt = Klick → Futter.**

› Das Futter reichen Sie so, dass Mieze wieder aufstehen muss.

› Verharren Sie nicht zu lange bei einem Schritt. Wenn z. B. das Schnuppern am Boden drei- bis viermal belohnt wurde, warten Sie nun, bis Ihre Katze eine Steigerung hin zum gewünschten Verhalten zeigt. Klicken Sie erst wieder bei einem Fortschritt.

› Kauert sie sich zuverlässig hin, müssen Sie auf das Ausstrecken der Vorderpfoten achten. Und so können Sie es verstärken: Klicken Sie, sobald Sie sehen, dass das Tier eine oder zwei Pfoten etwas nach vorn streckt. **Strecken der Vorderpfote/n = Klick → Futter.**

› Nach mehreren Durchgängen, wenn Ihre Katze das Verhalten selbstständig anbietet, können Sie ein Signal einführen. Die Katze ist im Begriff, sich hinzukauern: **»Lay down« → Katze kauert sich mit ausgestreckten Pfoten hin = Klick → Futter.**

Hilfe Sollte die Katze wie eine Salzsäule vor Ihnen sitzen und Sie anschauen, müssen Sie schnell sein und schon die kleinste Ansatzbewegung klicken und belohnen. Notfalls geben Sie Ihrer Katze eine Hilfestellung. Legen Sie ein Futterstückchen direkt vor ihr auf den Boden. Um es bequem fressen zu können, wird sie sich wahrscheinlich hinkauern. Das ist der Moment, in dem Sie klicken und mehrere Super-Leckerlis geben. Machen Sie dann eine Pause und probieren Sie das Ganze zu einem späteren Zeitpunkt gleich nochmals.

Pfoten ausgestreckt oder unter dem Bauch – wie soll »Lay down« für Sie aussehen? Machen Sie sich das schon vor Übungsbeginn klar.

Eine Rolle machen

Ziel Die Katze soll sich auf der Seite liegend über den Rücken rollen.

Vorab Katzen rollen sich häufig am Boden, wenn sie sich wohlfühlen. Meist sind es bestimmte Zeiten oder Situationen, in denen Ihr Tier dieses Verhalten zeigt. Idealerweise können Sie just in diesen Momenten klicken und belohnen. Beobachten Sie im Alltag, welche einzelnen Ansatzbewegungen Ihre Katze vor und während des Rollens ausführt.

So geht's Formen Sie die Rolle Schritt für Schritt. Das ist zwar die Methode, die am längsten dauert, dafür aber auch die, bei der die Katze am sichersten lernt, um was es geht. Um rasch voranzukommen, überlegen Sie vorher, welche Bewegungen Ihrer Katze Sie verstärken könnten.

› Es ist von Vorteil, wenn Ihr Tier schon »Lay down« beherrscht. Steigen Sie am besten mit dieser Übung ein. **»Lay down»= Klick → Futter.** Das Leckerli geben Sie der Katze so, dass sie aufsteht.

› Ihre Katze wird sich wahrscheinlich wieder hinkauern. Jetzt warten Sie, bis sie auch nur ansatzweise ihren Körper etwas auf die Seite legt. Das erkennen Sie daran, dass sie die Stellung der Hinterbeine verändert, sie eventuell unter dem Bauch hervorholt und seitlich ausstreckt. Beobachten Sie daher die Bewegungen der Hinterbeine sehr aufmerksam. Meist geschieht das, wenn Sie lange genug warten und sich Ihre Katze etwas bequemer hinlegen möchte.

Katze neigt den Körper zur Seite und streckt die Hinterbeine aus = Klick → Futter.

› Versuchen Sie diese Bewegung ein- bis zweimal zu klicken, und beenden Sie die Übung. Sollte lange nichts passieren bzw. Sie nichts erkennen, was Sie in die richtige Richtung bringt, schließen Sie die Übung auf jeden Fall mit einem Erfolgserlebnis für Ihre Katze ab. Lassen Sie sie nochmals »Lay down« oder »Sitz« machen und belohnen Sie sie dafür.

› Hier einige Beispiele für einzelne Schritte, die Sie in den folgenden Trainingseinheiten klicken können:

Katze legt sich auf die Seite = Klick → Futter.
Katze hebt Beine (auf der Seite oder dem Rücken liegend) an = Klick → Futter.
Katze rollt auf den Rücken = Klick → Futter.
Katze rollt sich von einer auf die andere Seite = Klick → Futter.

› Weitere mögliche Bewegungen, die Sie klicken und belohnen können, wären die folgenden: Ihre Katze hat sich hingekauert oder liegt schon auf der Seite. Achten Sie auf Bewegungen der Hinterbeine, eine weitere Körperneigung auf eine Seite oder das Ablegen des Kopfes oder der Schulter. Auch das Anheben des oberen Beines, wenn Ihre Katze schon auf der Seite liegt, ist geeignet.

Hilfe Bei manchen Katzen funktioniert das Training mit dem Targetstab ganz gut. Sie könnten dann so vorgehen: Ihre Katze liegt gerade auf der Seite. Führen Sie Ihre Hand mit dem Target dicht am Kinn der Katze über ihre Schulter zur anderen Seite. Folgt sie mit der Nase, gibt's den Klick und die Belohnung. Einige Katzen stehen plötzlich auf, um den Stab zu berühren, da die bisherigen Targetübungen im Stehen gemacht wurden. In diesem Fall führen Sie vorab einige Targetübungen im Liegen aus. Testen Sie, was bei Ihrer Katze am besten funktioniert.

Katzen rollen sich mitunter mehrmals am Tag am Boden. Nutzen Sie daher jede günstige Gelegenheit, um das Verhalten spontan zu klicken.

»Turn«

Ziel Die Übung beinhaltet eine ganze Drehung der Katze im Uhrzeigersinn (rechts herum).

Vorab Nehmen Sie den Targetstab oder Ihren Zeigefinger als Target. Sie können die Übung auch komplett mit Shaping aufbauen.

So geht's Für den Einstieg in diese Übung soll die Katze zunächst zwei- oder dreimal dem Targetstab folgen und ihn berühren: Klick → Futter. So weiß sie, um was es geht.

› Die Katze steht vor Ihnen. Den Targetstab halten Sie ihr an die rechte Schulter oder Körpermitte. Je näher der Target am Körper ist, desto stärker muss sich die Katze biegen, um ihn zu erreichen.

› Sie wird den Kopf nach rechts bewegen und vielleicht auch schon einen Schritt machen, um den Target zu berühren. Klicken Sie dieses Verhalten. **Jede Bewegung nach rechts = Klick → Futter.**

› Nach dem Klick entfernen Sie den Target so, dass Sie mit ihm die Kreisbewegung vollenden. Geben Sie dann das Leckerli, wenn die Katze wieder vor Ihnen ist. **Katze macht eine Vierteldrehung = Klick → Target im Kreis wegführen → Futter gibt's in der Ausgangsposition.**

› Wichtig ist, dass Sie in kleinen Schritten vorgehen. Klicken Sie schon die Kopfdrehung oder eine Vierteldrehung des Körpers und belohnen Sie die Katze. Wenn das gut funktioniert, steigern Sie die Anforderung auf eine halbe und dann eine ganze Drehung. Die erste Session endet, wenn ca. zehn Leckerlis verspeist sind. Notieren Sie sich im Trainingsplan, wie weit Sie bisher gekommen sind.

Hilfe Wenn es mit dem Target nicht funktioniert, locken Sie Ihre Katze mit einem Leckerli in der Hand in die Drehung. Beachten Sie, dass Sie das Locken mit Futter nach einigen Malen »ausschleichen« und nur mit Ihrem Finger Hilfestellung geben.

Die Katze dreht sich vorbildlich. Doch erst wenn sie die Übung wirklich beherrscht, wird das Signal »Turn« vor den Klick gesetzt.

Das richtige **Signal einführen**

Wenn Sie Ihre Katze mit dem Finger in die Kreisbewegung locken, können Sie daraus ein Signal formen. Führen Sie den Finger auf Nasenhöhe, dicht am Körper der Katze, im Uhrzeigersinn herum. Das bedeutet, dass Sie dafür auch mit dem ganzen Arm einen Kreis ziehen. Später heben Sie den Finger Stück für Stück höher und lassen die Kreisbewegung immer kleiner werden. Dadurch wird der Finger zum Handzeichen, und bald reicht es, mit dem Finger eine kleine Kreisbewegung zu machen. Wenn Sie lieber ein Wortsignal für die Übung einführen möchten, setzen Sie dieses neue Signal – z. B. »turn« – vor das Sichtzeichen und lassen das alte Signal (Handzeichen) nach und nach weg.

»Gib mir fünf«

Ziel Die Katze soll die linke Pfote heben und damit die Handfläche Ihrer rechten Hand berühren.

So geht's Den Clicker haben Sie in der linken Hand, und die zehn Leckerlis liegen ebenfalls parat.

› Jetzt warten Sie, bis Sie die erste noch so kleine Bewegung der linken Pfote sehen. Das kann schon die Entlastung des linken Vorderbeins sein.

Linkes Vorderbein entlasten = Klick → Futter.

So langsam dämmert es Ihrer Katze, und sie wird probieren, ob es etwas mit dem linken Beinchen zu tun hat. Sobald die Pfote auch nur einen Millimeter vom Boden abgehoben wird: **Pfote anheben = Klick → Futter.**

› Wiederholen Sie das so lange, bis die Katze die Pfote bewusst mehrere Zentimeter anhebt.

› Bringen Sie nun Ihre Hand ins Spiel. Sobald Ihre Katze wieder die linke Pfote hebt, halten Sie ihr die rechte Handfläche entgegen. Warten Sie. Bestimmt überlegt Ihre Katze, warum sie dafür noch keinen Klick bekommt, und probiert vielleicht ganz spontan, die Pfote in Richtung Ihrer Hand zu führen.

Sie halten die Handfläche hin → Pfote berührt Hand = Klick → Futter.

Für diese tolle Leistung gibt es viele Leckerlis.

› Achtung: Machen Sie kleine Schritte und variieren Sie eventuell die Position Ihrer Hand. Manche Katzen empfinden die Handfläche als bedrohlich und berühren lieber einen ausgestreckten Daumen.

› Die erste Session endet, nachdem ca. zehn Leckerlis gegeben sind.

Hilfe Klappt es auf diese Weise nicht, bringen Sie Ihrer Katze bei, einen neuen Target mit der Pfote zu berühren – etwa ein Bällchen oder einen Zettel. Legen Sie den neuen Target dann in Ihre Hand. Dort soll ihn die Katze mit der Pfote berühren. Nach und nach lassen Sie den neuen Target »verschwinden«, bis nur noch Ihre Handfläche übrig bleibt.

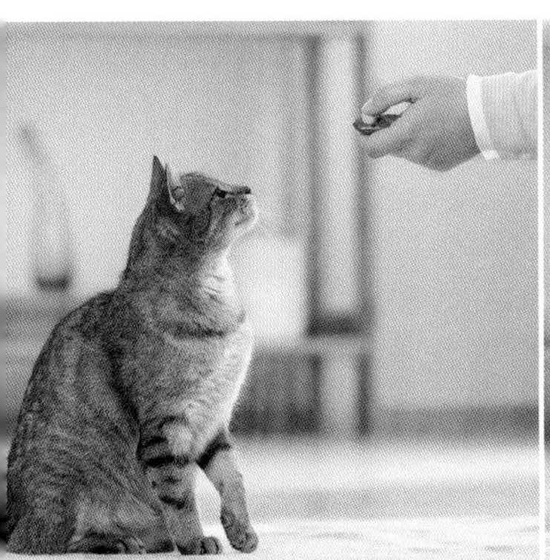

1 AUF AUGENHÖHE Um die erste Ansatzbewegung wahrnehmen und verstärken zu können, begeben Sie sich auf Augenhöhe zu Ihrer Katze.

2 GUTES TIMING Der nächste Schritt ist das Anheben der linken Pfote. Achten Sie darauf, wirklich nur das Anheben der Pfote zu klicken und nicht etwa das Absenken.

3 EIN WORT Die Handfläche ist zum Signal geworden. Sobald die Katze sie mit ihrer linken Pfote berührt, können Sie ein Wortsignal einführen.

»Backe-backe-Kuchen«

Ziel Ihre Katze soll, wenn Sie ihr die linke Handfläche zeigen, ihre linke Pfote dagegendrücken. Wenn Sie ihr die rechte Handfläche zeigen, soll sie entsprechend ihre rechte Pfote auflegen. Dies dann abwechselnd, sodass Pfote-Hand immer über Kreuz gegeben werden.

Vorab Diese Übung führt »Gib mir fünf« fort.

So geht's Beginnen Sie mit der »Gib mir fünf«-Übung (→ Seite 34). Spielen Sie sie zwei- oder dreimal durch, sprechen Sie aber nicht dabei. Die Katze soll einzig Ihre Handfläche als Signal erkennen. Den Clicker haben Sie weiterhin in der linken Hand.

› Halten Sie der Katze zunächst Ihre rechte Hand hin, wie in der »Gib mir fünf«-Übung. Allerdings soll sie jetzt ihre rechte Pfote heben, nicht wie bisher die linke, damit die Über-Kreuz-Bewegung zustande kommt. Es kann sein, dass die Katze zuerst die linke Pfote hebt, da sie das schon kennt. Klicken Sie diese Bewegung nicht, sondern warten Sie ab.

› Vielleicht ist Ihre Katze irritiert und bietet erst einmal kein Verhalten an. Aber sobald Sie auch nur die kleinste Entlastung oder Bewegung der rechten Pfote wahrnehmen: **Rechtes Vorderbein wird entlastet = Klick → Futter.**

› Super, der erste Schritt ist getan. Bauen Sie nun die Übung mit der rechten Hand genauso auf wie bei der »Gib mir fünf«-Übung, nur dass hier über Kreuz gearbeitet wird: **Rechte Handfläche hinhalten → rechte Pfote schlägt ein = Klick → Futter.**

› Nun können Sie Ihrer Katze die linke Hand präsentieren. Wenn sie die rechte Pfote hebt, was Sie ja gerade geübt haben, klicken Sie nicht. Warten Sie ab, Ihre Katze wird die richtige Pfote heben – sofort Klick und Leckerli.

› Jetzt präsentieren Sie Ihre Hände im Wechsel. Nach jeder korrekten Ausführung folgen Klick und Leckerli. **Linke Handfläche hinhalten → linke Pfote schlägt ein = Klick → Futter.**
Rechte Handfläche hinhalten → rechte Pfote schlägt ein = Klick → Futter.

› Wenn das zuverlässig klappt, gehen Sie einen Schritt weiter. Wieder präsentieren Sie Ihre Hände im Wechsel. Jetzt klicken Sie aber erst nach einem kompletten Durchgang: **Linke Handfläche hinhalten → linke Pfote schlägt ein → rechte Handfläche hinhalten → rechte Pfote schlägt ein = Klick → extra viele tolle Leckerli und Superlob.**

› Glückwunsch, Sie beide haben soeben das erste komplette »Backe-backe-Kuchen« geschafft.

Hilfe Bestimmt fragen Sie sich, wie Sie den Clicker betätigen sollen. Entweder benutzen Sie einen Zungenklick oder ein Wort. Oder Sie probieren vorher (in Abwesenheit der Katze), ob Sie den Clicker auch mit Mund oder Fuß betätigen können.

Gibt es Futter, eilt Ihre Katze freudig herbei. Nutzen Sie das für die erste »Komm«-Übung.

Zuverlässig auf Ruf kommen

Ziel Ihre Katze kommt, wenn Sie ihren Namen rufen und pfeifen, zuverlässig und freudig zu Ihnen.
Vorab Wählen Sie ein Signal, das für Ihre Katze noch keine Bedeutung hat und im täglichen Sprachgebrauch nicht vorkommt. Eine hilfreiche Vorübung: Sagen Sie den Namen Ihrer Katze. Sobald sie den Kopf in Ihre Richtung bewegt, gibt es Klick und Leckerli. Machen Sie das so oft, bis Ihre Katze Sie zuverlässig ansieht, wenn Sie ihren Namen sagen.
So geht's Sorgen Sie für ein ruhiges Umfeld und beginnen Sie in einem kurzen Abstand (ein bis zwei Meter) zur Katze. Halten Sie den Clicker und die Leckerlis bereit.

› Sagen Sie den Namen Ihres Vierbeiners: »Miez«. Schaut er, machen Sie etwas, das ihn veranlasst, sofort zu kommen – rütteln Sie an der Futterpackung, klopfen Sie sich auf die Oberschenkel usw.
› Geht die Katze einen Schritt auf Sie zu, klicken Sie. Geben Sie die Belohnung, wenn sie bei Ihnen ist: **Katze läuft zu Ihnen = Klick → Futter.**
› Jetzt gehen Sie ein paar Schritte zurück. Ihre Katze wird folgen. **Sie machen einen Schritt zurück → Katze folgt Ihnen = Klick → Futter.**
› Steigern Sie die Ablenkungen. Erst üben Sie in Situationen, in denen die Katze sowieso zu Ihnen kommt, später auch zu anderen Zeiten, mit mehr Abstand zueinander. Klappt das, rufen Sie das Tier aus einem anderen Zimmer, also ohne Sichtkontakt.
› Gehen Sie bei der Übung niemals auf die Katze zu – sie soll ja zu Ihnen kommen.
› Läuft die Katze zuverlässig zu Ihnen, führen Sie das Signal ein: »**Miez« → Pfiff → Katze läuft zu Ihnen = Klick → Futter.**

Hilfe Geben Sie das Signal nur einmal, nie mehrmals. Kommt die Katze nicht sofort, festigen Sie erst das Verhalten, bevor Sie das Signal einführen.

Die »Komm«-Übung im Alltag

TIPPS VON DER KATZEN-EXPERTIN
Katja Rüssel

Machen Sie es sich leicht und nutzen Sie für die »Komm«-Übung die normalen Fütterungszeiten – vorausgesetzt, die Katze hat Hunger und liebt ihre festen Mahlzeiten.

SO GEHT'S Sobald Ihre Katze auf Sie zuläuft, geben Sie ihr das Signal – den Pfiff – und stellen ihr als Belohnung den Futternapf hin. Damit sie auch in Zukunft zuverlässig kommt, sollten Sie sie immer belohnen und sich überschwenglich freuen, wenn sie auf Ruf herbeieilt. Falls Sie kein Leckerli zur Hand haben, belohnen Sie sie mit anderen Verstärkern – etwa einer Streicheleinheit oder mit einem tollen, ausgiebigen Spiel.

BITTE VERMEIDEN Damit Ihre Katze immer wieder gerne kommt, wenn Sie sie rufen, achten Sie darauf, sie niemals zu rufen, wenn etwas Unangenehmes folgt. Das käme einer positiven Bestrafung gleich. Wollen Sie sie etwa bürsten, was sie gar nicht mag, dann holen Sie Ihre Katze ohne Worte zu sich. Andernfalls verleiden Sie ihr das Signal, da sie es fortan mit dem unangenehmen Erlebnis verknüpfen wird. Rufen Sie sie auch nicht, wenn Sie sich über sie ärgern.

Spannende Übungen für Fortgeschrittene

Von Stuhl zu Stuhl springen

Ziel Die Katze soll auf einen Stuhl springen, von dort hinüber auf einen anderen Stuhl und von diesem wieder herab zum Boden.

Vorab Sie können die Übung durch Shaping oder, wie hier vorgestellt, mit dem Targetstab trainieren.

So geht's Halten Sie Clicker, Leckerlis, Targetstab und zwei standfeste Stühle bereit. Die Stühle stehen anfangs nebeneinander.

› Führen Sie Ihre Katze mithilfe des Targetstabs auf den ersten Stuhl. **Katze springt auf Stuhl A = Klick → Futter.** Nehmen Sie den Targetstab weg, wenn die Katze frisst.

› Nun führen Sie sie mit dem Target auf den anderen Stuhl. **Sie folgt auf Stuhl B = Klick → Futter. Katze springt runter = Klick → Futter.**

› Beginnen Sie erneut vor Stuhl A. Vielleicht springt die Katze schon ohne Targetstab auf den Stuhl. Wenn nicht, führen Sie sie erneut mit dem Target hoch, gleich weiter auf Stuhl B und herunter. **Katze springt hoch → geht auf den zweiten Stuhl → springt herunter = Klick → Futter.**

Das Tolle am Clickertraining ist, dass Sie als Trainingsgeräte für die Übungen vorhandene Möbelstücke oder Haushaltsgegenstände nutzen können.

› Beim nächsten Training schieben Sie die Stühle etwas auseinander und wiederholen den Ablauf.
Hilfe Nach und nach können Sie so einen kleinen Hindernisparcours bauen, den Sie auch als Verhaltenskette (vom letzten zum ersten Hindernis ausgehend) trainieren können (→ Seite 20).

Durch den Reifen springen

Ziel Ihre Katze soll durch einen Reifen springen.
Vorab Bauen Sie auf der »Von Stuhl zu Stuhl«-Übung auf. Vorteil: Die Katze kann nicht um oder unter dem Reifen hindurchgehen.
So geht's Halten Sie Clicker, Leckerlis, zwei Stühle und den Reifen bereit.
› Beginnen Sie mit dem Sprung von Stuhl zu Stuhl ohne Reifen, eventuell mithilfe des Targetstabs.
› Jetzt schieben Sie die Stühle aneinander und halten den Reifen dazwischen. Er sollte anfangs einen großen Durchmesser haben und nicht zu hoch gehalten werden. **Katze geht von Stuhl zu Stuhl durch den Reifen = Klick → Futter.**
› Nach und nach vergrößern Sie den Abstand zwischen den Stühlen und heben den Reifen etwas an. **Katze springt von Stuhl zu Stuhl durch den Reifen = Klick → Futter.**
› Sobald die Katze zuverlässig springt, fügen Sie ein Signal, z. B. »jump«, hinzu. **Katze setzt zum Sprung an → »jump« → sie springt ab und setzt wieder auf = Klick → Futter.**
› Nach und nach halten Sie den Reifen immer höher. Versuchen Sie es dann ohne die Stühle.
Hilfe Diese Übung können Sie auch ohne Stühle trainieren. Halten Sie den Reifen an einen Schrank und stellen ihn anfangs auf den Boden, sodass die Katze nur durch den Reifen kann. Jetzt formen Sie die einzelnen Schritte: Blick zum Reifen, Schritt zum Reifen hin, etc. Notfalls locken Sie Ihre Katze einmal, indem Sie Futter durch den Reifen werfen, dann klicken und Ihre Samtpfote sofort belohnen.

Hat Ihre Katze diese Übung richtig gelernt, wird sie freudig durch den Reifen springen, um gleich darauf das wohlverdiente Leckerchen zu erhalten.

»Who's best?«

Hier lernen Sie zwei Varianten kennen, die Sie als »Who's best« trainieren können. Achtung: Nur für Katzen geeignet, die nachts nicht stundenlang miauend vor Ihrer Schlafzimmertür sitzen.

Ziel 1 Sie geben Ihrer Katze das Signal »Who's best«, und sie antwortet mit einem Miau.

»Wer ist die Beste?« Ihre Katze gibt die Antwort in Form eines Miau – als Beweis, dass Sie es sind. Oder meint sie vielleicht doch sich selbst?

So geht's Überlegen Sie sich, wann Ihre Katze miaut. Meist ist das Miauen – häufig vor dem Füttern – ein Bettellaut oder ein Kontaktlaut.

› Nutzen Sie jede spontan auftretende Gelegenheit, das Miau zu verstärken.

› Halten Sie daher Clicker und Leckerlis immer bereit. Alternativ benutzen Sie ein Wort, das Sie vorab wie den Clicker konditioniert haben. Damit können Sie jedes Miau verstärken.

› Sobald Ihre Katze auch nur einen Ton von sich gibt: **Katze miaut = Klick → Futter.**

› Miaut Ihre Katze in einer bestimmten Situation zuverlässig, können Sie das Signal einführen:
»Who's best?« → Katze miaut = Klick → Futter.

› Klicken Sie nur das einmalige Miauen, sonst bekommen Sie womöglich eine Dauersängerin.

› Sobald Ihre Katze zuverlässig auf das Signal hin miaut, verallgemeinern Sie das Verhalten auf andere Orte, Zeiten etc.

Hilfe Bei diesem Trick sollten Sie beachten, dass Sie das Verhalten unter Signalkontrolle bringen. Also unbedingt ein Signal einführen und das Verhalten wirklich nur dann belohnen, wenn Sie die Katze mit dem Signal dazu aufgefordert haben.

Ziel 2 Die Katze legt auf Ihr Signal die Pfote auf Ihren Schuh und zeigt so: Sie sind die/der Beste.

Vorab Legen Sie vorher fest, welche Pfote auf welchen Schuh gelegt werden soll. Sonst kommen Sie beide durcheinander.

So geht's Zuerst trainieren Sie mit einem neuen Pfotentarget (Target, der mit der Pfote berührt wird), etwa einem selbstklebenden Notizzettel. Üben Sie anfangs die reine Berührung des Targets mit der Pfote in verschiedenen Positionen und Abständen, bis das klappt (→ Übung »Benutzung der Katzenklappe«, Seite 42). Achten Sie darauf, dass bei der hier vorgestellten Übung der Zettel mit der Pfote, nicht mit der Nase, berührt werden soll.

› Kleben Sie den Pfotentarget auf Ihren Schuh.
Katze berührt Zettel = Klick → Futter.

› Nach und nach, wenn jeder Schritt gut klappt, schneiden Sie den Zettel immer kleiner und lassen ihn schließlich weg. Das Futter geben Sie so, dass die Katze immer eine andere günstige Ausgangsposition für einen neuen Durchgang einnimmt. **Katze berührt Schuh (ohne Zettel) = Klick → Futter.**
› Berührt die Katze den Schuh zuverlässig auch im Sitzen, führen Sie das Signal ein. **»Who's best?« → Katze berührt Schuh = Klick → Futter.**
Hilfe Sollte Ihre Katze den Zettel nicht berühren wollen, legen Sie etwas auf den Schuh, nach dem sie gerne pfötelt – ein Spielzeug oder Trockenfutter. Belohnen Sie sie dann aber nach dem Klick mit einem Leckerli, das viel besser ist. Diese Hilfestellung sollten Sie nur wenige Male geben.

Pfotenkünstler

Ziel Die Katze soll sich mit der Zunge über die Nase schlecken oder mit der Pfote über das Gesicht reiben. Das lässt sich auf mehrere Arten trainieren.
So geht's Eine Möglichkeit ist, Sie warten ab, bis Ihr Tier das Verhalten von allein zeigt. Da sich Katzen oft putzen, bieten sich viele Gelegenheiten dazu. Halten Sie einfach Leckerlis und den Clicker bereit oder benutzen Sie einen Zungenklick.
› Sollte Ihre Katze gerade nach dem Fressen sehr satt sein, können Sie sie nach dem Klick auch mit einer ausgiebigen Schmuseeinheit belohnen.
› Die zweite Möglichkeit ist, dieses Verhalten mit einem Pfotentarget (Berühren eines Targets mit der Pfote, z. B. einen Finger oder anderen beliebigen Gegenstand) zu üben. Führen Sie die Pfote per Target einfach immer höher an den Katzenkopf heran. Erst bis zur Brust, dann zum Kinn, zur Nase, zum Nasenrücken und schließlich bis zur Berührung der Stirn. Bauen Sie dann die Hilfestellung durch den Targetstab wieder ab.

Verstärken Sie spontanes Verhalten auch durch Lob und Streicheleinheiten, wenn Sie gerade einmal keinen Clicker zur Hand haben sollten.

› Eine weitere Möglichkeit ist das reine Formen (Shaping) des Verhaltens. Das heißt, Sie lassen die Katze selbst herausfinden, was Sie von ihr möchten.
› Idealerweise haben Sie vorher gerade die »Gib mir fünf«-Übung trainiert.
› Bestimmt zeigt die Katze die vertraute Übung. Jetzt sind Sie gefragt, Feinheiten in den Pfotenbewegungen zu erkennen. Sie klicken und belohnen, wenn der Kopf der Katze etwas gesenkt wird oder wenn die Pfote sich dem Gesicht nähert. **Katze hebt die Pfote bis zum Kinn = Klick → Futter. Katze senkt den Kopf, Pfote wird an die Stirn gehalten = Klick → Futter.**
Hilfe Bei der Variante »Mit der Zunge schlecken« tupfen Sie Ihrer Katze einen kleinen Klecks Sahne, Nassfutter oder Schmelzkäse auf das Näschen. Sobald sie ihn abschleckt, klicken Sie. Anschließend bieten Sie ihr ganz besondere Leckerlis an.

Nützliche Übungen für den Alltag

Benutzung der Katzenklappe

Ziel Ihre Katze lernt, durch die Katzenklappe hinein- und hinauszugehen.

Vorab Trainieren Sie die Übung mit einem neuen Target – einem selbstklebenden Notizzettel, den die Katze mit der Nase berühren soll.

So geht's Beginnen Sie das Training möglichst in der Nähe der Katzenklappe. Legen Sie den Notizzettel direkt vor das Tier. **Katze schaut zum Zettel oder riecht daran = Klick → Futter.**

› Entfernen Sie den Zettel nach jedem Klick und legen ihn der Katze erneut vor, während sie frisst.

› Steigern Sie die Anforderungen schrittweise, indem Sie den Zettel zunächst ganz nah vor das Tier hinlegen, dann mit etwas Abstand zu ihm. Trainieren Sie so lange, bis die Katze selbstständig mehrere Schritte zum Zettel geht, egal, ob er rechts oder links von ihr liegt. **Zettel liegt rechts von der Katze → sie berührt ihn = Klick → Futter. Zettel liegt einige Zentimeter weg → sie geht zum Zettel und berührt ihn = Klick → Futter.**

› Wenn die Katze dem Target auf dem Boden folgt und ihn mit der Nase berührt, rücken Sie den Zettel näher an die Klappe heran. Zuerst kleben Sie den Target vor, später an die Klappe. **Katze berührt den Zettel vor/an der Klappe = Klick → Futter.**

› Arbeiten Sie nun gezielt am Druck, mit dem die Katze den Zettel berührt. Das erkennen Sie daran, ob sich die Klappe etwas bewegt. Verstärken Sie ab sofort nur noch Berührungen, bei denen sich die Klappe leicht bewegt. **Katze berührt Zettel an der Klappe mit etwas Druck = Klick → Futter.**

› Funktioniert das nach mehreren Durchgängen wirklich zuverlässig, führen Sie ein neues Signal ein, z. B. »push«. **»Push« → Katze berührt Zettel an der Klappe mit Druck = Klick → Futter.**

› Bewegt sich die Katzenklappe deutlich und kennt Ihre Katze das Signal »push«, fangen Sie an, den Zettel kleiner zu schneiden – bis Sie ihn schließlich weglassen können und die Katze nur auf Ihr Signal hin die Klappe drückt.

› Sobald Ihre Katze den Kopf durch die Klappe streckt, belohnen Sie sie auf der anderen Seite.

Hilfe Manche Katzen benutzen die Klappe ohne Probleme, wenn Sie am Anfang die Türen entfernen. Erhöhen Sie später die Schwierigkeit, indem Sie erst ein Tuch locker vor den Durchgang hängen und mit der Katze weiterüben. Erst am Ende werden die Türen wieder eingebaut.

Vielen Katzen fällt das Durchgehen durch die Klappen leichter, wenn Sie diese anfangs entfernen.

In den Transportkorb

Ziel Ihre Katze geht zum Transportkorb und setzt sich entspannt hinein.

Vorab Kaufen Sie für das Training einen neuen Korb, der sich deutlich vom alten unterscheidet. Stellen Sie ihn im Wohnzimmer auf und lassen die Tür offen. So gewöhnt sich die Katze an den Korb und benutzt ihn vielleicht sogar als Schlafplatz. Spiele und Leckerlis im oder am Korb lassen eine positive Verknüpfung entstehen. Falls Sie in der Trainingsphase zum Tierarzt müssen, nehmen Sie für den Transport einen anderen Korb.

So geht's Beobachten Sie, wie nahe Ihre Katze freiwillig an den Korb herangeht. Das ist die Ausgangsposition für das folgende Training.

› Klicken Sie jedes Interesse am Korb. **Blick zum Korb = Klick → Futter.**

› Füttern Sie die Katze in Richtung Korb.

› Wenn das gut klappt, arbeiten Sie an der Annäherung an den Korb. **Ein Schritt Richtung Korb = Klick → Futter.**

› Betritt Ihre Katze den Korb, klicken und werfen Sie das Leckerli in den Korb. Während sie noch im Korb frisst, klicken Sie erneut und belohnen sie.

› Bauen Sie die Schritte sorgfältig auf: Blick zum Korb, schrittweise Annäherung, hineingehen, verweilen, Tür schließen (für eine Sekunde, dann für zwei usw.) und Anheben des Korbes. Klicken Sie, bevor die Katze gestresst wirkt oder den Korb verlassen möchte.

Hilfe Manche Katzen finden den Korb weniger bedrohlich, wenn Sie ihn für das Training auseinanderbauen. Bedenken Sie, dieses Training ist nur ein Teilschritt, wenn Sie mit der Katze entspannt zum Tierarzt wollen. Ergänzen Sie es durch diese Übungen: mit der Katze im Korb vor die Tür gehen, ins Auto setzen, fahren, entspannt in der Praxis sein.

1 Trainieren Sie die Annäherung an den Korb mittels Shaping oder dem Targetstab. Auch Locken ist erlaubt. Hauptsache, es findet eine positive Verknüpfung statt.

2 Achten Sie darauf, dass Ihre Katze immer entspannt ist. Sie dürfen sie nie bedrängen oder überfordern. Das Training erfordert sehr viel Geduld.

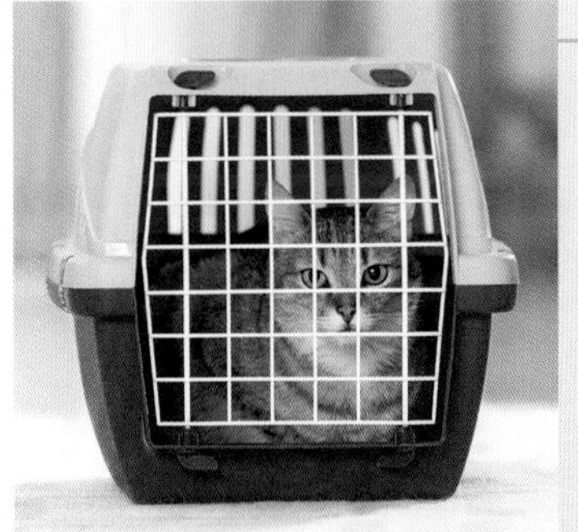

3 Schließen Sie die Tür erst, wenn die Katze entspannt ist – jeweils nur kurz und bevor sie wieder heraus möchte. Öffnen Sie die Tür, wenn sie noch frisst.

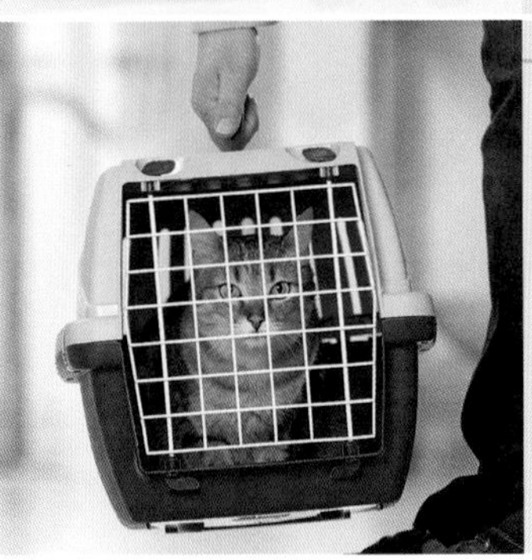

4 Akzeptiert Ihre Katze die geschlossene Tür, heben Sie den Korb für eine Sekunde an. Bleibt sie ruhig sitzen, klicken Sie und geben die Belohnung.

Bürsten lassen

Ziel Ihre Katze lässt sich gerne bürsten.

Vorab Kaufen Sie eine neue weiche Bürste, die sich deutlich vom alten Modell unterscheidet.

So geht's Legen Sie die Bürste in die Nähe des Napfes, wenn Sie Ihren Liebling füttern.

› An seiner Reaktion erkennen Sie, welcher Abstand akzeptabel ist. Liegt die Bürste 30 cm neben dem Napf, und das Tier wirkt verunsichert? Dann vergrößern Sie den Abstand.

› Im akzeptierten Abstand bleibt die Bürste für zwei, drei Mahlzeiten liegen. Dann schieben Sie sie 5 cm an den Napf heran. Zeigt sich die Katze weiterhin entspannt, lassen Sie die Bürste noch eine Weile dort liegen. Wenn nicht, schieben Sie sie wieder zurück und planen kleinere Schritte ein.

› Erst wenn das Tier neben der Bürste völlig entspannt frisst, kommt der nächste Schritt. Bereiten Sie das Futter vor und legen Sie die Bürste neben Ihr Tier. **Katze schaut danach oder schnuppert an der Bürste = Klick → als Belohnung stellen Sie das Fressen hin und entfernen die Bürste.**

Mit einer weichen Bürste lässt sich die Katze gern bürsten. Anfangs bitte nur am Kopf, bevor Sie später auch Beine oder Bauch berühren.

› Wiederholen Sie das bei der nächsten Fütterung.

› Für den folgenden Schritt haben Sie den Clicker, ca. fünf Leckerlis und eine Futterration parat. **Halten Sie der Katze die Bürste hin → sie schnuppert daran = Klick → Leckerli.** Das machen Sie drei bis fünf Mal. Zum krönenden Abschluss geben Sie ihr die vorbereitete Mahlzeit. Klappt das nicht, gehen Sie einen Schritt zurück.

› Machen Sie nicht den Fehler und streichen gleich mit der Bürste über die Katze. Das kommt erst später. Achten Sie darauf, dass Sie keine Abwehrbewegungen des Tieres klicken. Zieht es sich vor der Bürste zurück, waren Sie zu voreilig.

› Können Sie Ihre Katze mit der Bürste eine Sekunde lang an einer harmlosen Stelle (Schulter, Kinn) berühren, erhöhen Sie die Dauer auf zwei Sekunden. Später beginnen Sie, vorsichtig über empfindlichere Stellen (Hinterteil, Beine, Bauch, von oben über den Kopf) zu streichen. **Bürste berührt Katze (erst eine Sekunde, dann zwei und länger) → sie hält still = Klick → Futter.**

› Nun machen Sie den ersten Bürstenstrich. Beginnen Sie an der Körperseite und führen Sie die Bürste ohne Druck über das Fell. **Kurzer, leichter Bürstenstrich → Katze hält still = Klick → Futter.**

› Klicken Sie immer, bevor es der Katze unangenehm wird und sie sich von der Bürste abwendet oder weggehen will.

Hilfe Reagiert die Katze mit großen Pupillen, angelegten Ohren und einem angespannten Körper, hat sie Angst. Gehen Sie mehrere Schritte im Training zurück. Dürfen Sie mit der Bürste schon nahe an sie heran, reiben Sie etwas Futter auf die Borsten. **Schnuppert sie daran = Klick und Futter.**

Anfassen und hochheben lassen

Ziel Die Katze lässt sich gerne hochheben und bleibt fünf Sekunden lang ruhig und entspannt.

Vorab Weicht das Tier zurück, wenn Sie es berühren wollen, so trainieren Sie erst das Anfassen.

So geht's So hebt man die Katze korrekt hoch: Mit der rechten Hand vom Bauch durch die Vorderbeine greifen, bis die Hand locker an der Brust des Tieres liegt. Den linken Arm um die Hinterbeine legen, um das Hinterteil stützen zu können. Niemals dürfen Sie eine Katze am Nackenfell hochheben.

› Gehen Sie mit dem Clicker und wenigen Leckerlis zur Katze. Stellen Sie sich hinter sie und beugen Sie sich behutsam über sie. Lassen Sie Ihre rechte Hand an der rechten Körperseite des Tieres bis zum Bauch gleiten. **Ihre Hand berührt den Bauch der Katze → sie hält still = Klick → Futter.** Wiederholen Sie das fünfmal.

› Hat Ihre Katze jedes Mal stillgehalten, kommt der nächste Schritt. Greifen Sie vom Bauch her ganz kurz zwischen die Vorderbeine der Katze. **Griff durch die Vorderbeine → Katze hält still = Klick → Futter.**

› Sind die wenigen Leckerli verbraucht, beenden Sie die erste Trainingseinheit.

› Nur wenn ein Schritt mindestens fünfmal hintereinander gut funktioniert hat, gehen Sie weiter. **Mit der rechten Hand zwischen die Vorderbeine greifen und eine Sekunde die Katze kurz anheben → Katze hält still = Klick → Futter.**

› Erhöhen Sie langsam die Dauer des Anhebens. **Umfassen des Hinterteils mit dem linken Arm, mit der rechten Hand zwischen die Vorderbeine greifen → Katze hält still = Klick → Futter.**

› Wenn das alles gut klappt, heben Sie die Katze kurz hoch. **Katze wird für eine Sekunde hochgehoben → sie hält still = Klick → Futter.**

› Nach und nach erhöhen Sie die Dauer und fügen das Absetzen dazu. **Katze wird (zwei, drei, vier Sekunden) hochgehoben → sie hält still → Katze wird abgesetzt = Klick → Futter.**

Hilfe Da Sie zum Hochheben beide Hände brauchen, testen Sie vorher, wie Sie den Clicker betätigen können. Hat das Tier keine Angst vor dem Klickgeräusch, nehmen Sie den Clicker in die linke Hand. Ebenso können Sie eine zweite Person bitten zu klicken oder aber mit einem Zungenklick arbeiten.

Entspannt auf dem Arm – man erkennt an der Körpersprache der Katze, dass sie es sichtlich genießt, so nah bei ihrem Frauchen zu sein.

Halsband oder Geschirr anlegen

Ziel Ihre Katze lässt sich ein Halsband oder ein Geschirr anlegen und trägt es gerne.

Vorab Benutzen Sie nur Halsbänder mit einem Sicherheitsverschluss und einer Sollbruchstelle. Es gibt auch welche mit Reflektoren, damit die Katze nachts gesehen werden kann. Lassen Sie sich gegebenenfalls im Zoofachhandel beraten.

So geht's Nehmen Sie das Halsband und schließen Sie es, sodass ein lockerer Ring mit einem Durchmesser von ungefähr 15 cm entsteht. Halten Sie außerdem zehn Leckerlis zur Belohnung bereit.

› Nehmen Sie das geschlossene Halsband in die eine, den Clicker in die andere Hand.

› Halten Sie der Katze das Halsband vor das Gesicht. **Katze schnuppert am Halsband = Klick → Futter.**

› Nach dem Klick halten Sie das Halsband hinter Ihren Rücken und geben dann das Leckerli.

› Klicken und belohnen Sie ca. dreimal jeden einzelnen Schritt. Dann gehen Sie einen weiter.
Katze hält ihre Nase in die Mitte des Halsbands = Klick → Futter.
Katze streckt ihre Nase durch die Mitte des Halsbands = Klick → Futter.

› Gehen Sie Schritt für Schritt vor, bis Ihre Katze den Kopf durch die Schlaufe steckt. Erst dann lassen Sie das Band auf den Hals gleiten. Bleibt das Tier ruhig, gibt's den Klick. Sie nehmen das Halsband wieder ab und belohnen die Katze.

› Steigern Sie die Dauer, in der das Halsband an der Katze bleibt.

› Üben Sie dann, das lockere Band leicht anzuziehen (soll das Verstellen des Bandes simulieren) bzw. es etwas enger zu halten, wenn es um den Hals liegt. **Band eine Sekunde enger halten → Katze bleibt ruhig = Klick → Band wieder loslassen und belohnen.**

› Ist die Katze völlig entspannt, verringern Sie allmählich den Durchmesser des Bandes und erhöhen die Dauer, mit der Sie es halten. Dann können Sie das Band auf die passende Größe einstellen.

Hilfe Wenn Ihre Katze große Angst vor dem Halsband hat, gehen Sie wie beim Bürstentraining in ganz kleinen Schritten vor.

Wenn Sie Ihre Katze an gesicherte Spaziergänge gewöhnen, wird sie den Freigang täglich einfordern.

Krallen wetzen am Kratzbaum

Ziel Die Katze kratzt am Kratzbaum, nicht am Sofa.

Vorab Das Kratzen an Gegenständen ist allen Katzen angeboren und kann nicht abtrainiert werden. Es dient neben der Entfernung loser Hornschichten an den Krallen der Reviermarkierung und Kommunikation unter Artgenossen. Jede Katze hat an den Pfoten Duftdrüsen. Die Kratzstelle wird also nicht nur optisch, sondern auch geruchlich markiert. Besonders gern demonstrieren Katzen ihre Präsenz durch Kratzen vor uns Menschen oder Artgenossen. Wichtig ist auf jeden Fall der Standort des Kratzbaums. Er sollte in einem Raum stehen, in dem sich Katze und Menschen oft aufhalten. Da sich Katzen nach dem Schlafen gern strecken und danach die Krallen wetzen, steht er am besten in der Nähe der beliebtesten Schlafplätze. Bieten Sie Ihrem Tier mehrere horizontale und vertikale Kratzmöglichkeiten an, sonst sucht es sich selbst geeignete Alternativen – z. B. das Sofa. Testen Sie verschiedene Materialien. Manche Katzen bevorzugen Pappe, Sisal, Rinde oder einen groben Baumwollstoff.

So geht's Erschweren Sie den Zugang zur bisherigen Lieblingskratzstelle, dem Sofa, und stellen Sie ein großes, kippsicheres Brett davor. Besorgen Sie sich eine Kratzsäule (Zoofachhandel), die Sie genau vor die bisherige Kratzstelle am Sofa platzieren.

› Ab sofort haben Sie immer Clicker und Leckerlis in der Hosentasche, damit Sie jedes gewünschte Verhalten und jede Annäherung an den Kratzbaum verstärken und belohnen können.

› Gehen Sie zum Kratzbaum und rufen die Katze oder animieren sie mit einem Spielzeug. Sobald sie kommt und die Pfoten am Kratzbaum hat = Klick (alternativ: Zungenklick). Geben Sie ihr die Leckerlis auf dem Kratzbaum oder spielen mit ihr, am besten mit einer Katzenangel. Diese soll das Tier über den Kratzbaum jagen. So lernt es, dass alle Interaktionen mit dem Kratzbaum zusammenhängen.

Steht der Kratzbaum an der richtigen Stelle und passt das Material, dann wird auch gerne daran gekratzt – zum Wohle Ihres Sofas.

› Reiben Sie die Kratzflächen zusätzlich mit Katzenminze ein, um sie noch attraktiver zu machen.

› Tragen Sie nie die Katze zum Kratzbaum oder nehmen sie an den Pfoten, um damit über das Sisal zu fahren. Dieses Festgehaltenwerden ist für die meisten Katzen höchst unangenehm und kann dazu führen, dass der Kratzbaum gemieden wird.

Hilfe Können Sie Ihr Sofa nicht schützen, gehen Sie kommentarlos aus dem Zimmer, wenn Ihr Tier daran kratzt. Schließen Sie die Tür hinter sich. Nach ein paar Minuten kommen Sie zurück. Die Katze lernt, dass sie so nicht bekommt, was sie möchte: Ihre Aufmerksamkeit. Wenn Sie das Kratzen am Sofa beachten und das Tier schimpfen, verstärken Sie das unerwünschte Verhalten, denn für die Katze ist unangenehme Aufmerksamkeit besser als keine.

Probleme beim Clickern

Es kann unterschiedliche Ursachen haben, wenn Ihre Katze beim Training nicht mitmachen möchte oder Übungen vorzeitig abbricht. Hier erfahren Sie, welche Ursachen in Betracht kommen und wie Sie damit umgehen sollten. Denken Sie daran: Angst und Stress blockieren das Lernen und gehören beseitigt.

Umgang mit einer scheuen Katze

Viele Katzen haben in ihrer Prägungs- und Sozialisierungsphase (ca. 3.–18. Lebenswoche) nur wenig positive Erfahrungen mit Menschen und anderen Tieren sammeln können. Diese Phase ist jedoch sehr wichtig, da hier das spätere Verhalten geprägt wird – etwa wie man mit Artgenossen kommuniziert und wie weit man bei ihnen gehen darf.

Geduld ist gefragt

Wenn Sie eine sehr ängstliche oder scheue Katze besitzen, können Sie nicht automatisch davon ausgehen, sie hätte schlimme Erfahrungen gemacht. Oft reicht mangelnde Sozialisierung aus, um große Scheu vor Menschen zu entwickeln. Der Umgang mit solch einem Tier erfordert Zeit, Geduld und Einfühlungsvermögen. Erwarten Sie nicht, dass Ihnen eine Katze, die Sie vielleicht aus einer schlimmen Situation gerettet haben, von Anfang an vertraut. Versuchen Sie stattdessen, ihr Sicherheit, Geborgenheit und Kontinuität zu vermitteln. Lassen Sie sie das Tempo der Annäherung selbst bestimmen. Je mehr Sie sich zurücknehmen, desto eher kommt sie von sich aus auf Sie zu. Dies gilt für jede Katze, die Sie neu in Ihrem Zuhause aufnehmen.

Beißattacken vermeiden Manchmal ist eine Katze in den ersten Tagen verunsichert und ängstlich. Fühlt sie sich zu sehr bedrängt, wird sie sich mit Fauchen, Pfotenhieben und möglicherweise sogar Bissen verteidigen. Um das zu vermeiden, richten Sie dem Tier ein eigenes Zimmer her, mit allem was es braucht, und lassen es ein paar Tage in Ruhe. Nähern Sie sich nur langsam, vermeiden Sie direkten Blickkontakt und knien Sie sich hin. Strecken Sie ihm vorsichtig die Hand hin und schauen Sie, ob es bereit ist, Kontakt aufzunehmen. Wenn nicht, lassen Sie ihm etwas Zeit. So lernt es zu vertrauen.

Gezielte Desensibilisierung

Ständige Angst kann bei einer sehr furchtsamen Katze zu ernsthaften psychischen wie körperlichen Erkrankungen führen. Sie sollten daher unbedingt etwas dagegen unternehmen, wenn Ihr Vierbeiner auffällig ängstlich oder scheu ist. Nur so ermöglichen Sie ihm wieder mehr Lebensqualität.

Gegen die Furcht vorgehen Angst oder psychischer Stress zeigt sich in der Regel an einem vom normalen Verhalten abweichenden Gebaren. Eindeutige Zeichen sind etwa freudlose Stimmung, Abnahme des Spiel- und Erkundungsverhalten, innerer und äußerer Rückzug, vermehrtes oder vermindertes Schlafbedürfnis, aber auch Unsauberkeit und Aggression. Gewöhnen Sie die Katze behutsam an die angsterregenden Reize. Zuerst beobachten Sie sie und notieren sich, wovor sie sich fürchtet. Greifen Sie dann eine Situation heraus, um daran zu arbeiten. Bei der gezielten Gewöhnung konfrontieren Sie das Tier mit dem Reiz in einer stark verminderten Intensität. Wichtig dabei ist, dass die Katze nie Symptome von Angst zeigt. Achten Sie daher auf die Körpersprache: Große Pupillen, angelegte Ohren, aufgestellte Haare, Fauchen, geduckter Körper, eingezogener Schwanz – all das deutet darauf hin, dass Sie zu schnell vorgegangen sind. Auch wenn die Katze nicht fressen oder spielen kann, sind das klare Anzeichen von Stress.

Clickern als Beschäftigungstherapie

Das Clickertraining eignet sich gut dazu, sich mit einer scheuen Katze eingehender zu beschäftigen, denn Sie müssen das Tier nicht anfassen. Berührungen sind das Letzte, was der Katze die Angst oder Scheu nimmt. Mit jeder anderen Methode, bei der Sie das Tier anfassen müssen, wird die Angst verstärkt. Wer aber Angst hat, ist nicht fähig zu lernen. Daher gestaltet sich das Training mit einem scheuen Tier ganz anders als jenes mit einer ausgeglichenen Katze. Testen Sie zunächst, ob sich die Katze vor dem Clicker fürchtet. Danach suchen Sie nach der optimalen Belohnungsmethode.

Angst vor dem Klick Manche Katzen geraten in Panik, wenn sie das Klickgeräusch hören, und fliehen. Vielleicht ist es zu laut (Katzen hören viel besser als wir Menschen). Dämpfen Sie das Geräusch, indem sie den Clicker in der Hosen- oder Jackentasche betätigen, ihn und die Hand mit einem Tuch umwickeln oder ihn hinter den Rücken halten. Sollte die Katze noch immer zurückweichen, suchen Sie

Lassen Sie einer besonders scheuen Katze etwas Zeit. Vertrauen muss in Ruhe wachsen können.

nach Alternativen für den Clicker (→ Seite 12) – ein leiseres Modell, ein anderes Geräusch. Eine weitere Möglichkeit ist die Gewöhnung an den Klick, bevor Sie mit dem Training beginnen. Nutzen Sie eine Situation, in der die Katze entspannt ist. Dämpfen Sie das Klickgeräusch und finden Sie heraus, in welchem Abstand zum Tier Sie klicken können, ohne es zu ängstigen. Halten Sie diesen Abstand konsequent ein und klicken Sie mehrmals täglich – ganz beiläufig. Hat die Katze Angst, gehen Sie weiter weg, sonst nähern Sie sich ihr zentimeterweise, bis sie keine Furcht mehr zeigt. Jetzt kann das Training beginnen.

Optimale Belohnung Es ist fast unmöglich, eine ängstliche Katze mit Futter zu belohnen, denn im Zustand der Angst ist der Körper auf die lebensnotwendigsten Funktionen beschränkt: Flucht oder Kampf. Nahrungsaufnahme spielt dann keine Rolle. Das kennen wir auch von uns Menschen. Sicher waren Sie selbst schon einmal in einer Situation, in der Sie sehr nervös waren, etwa einer Prüfung. Ihnen ging es bestimmt ähnlich, dass Sie keinen Bissen hinuntergebracht haben. Genauso verhält es sich bei der Katze: Ist Angst im Spiel, wird sie nichts fressen können. Daher ist es wichtig, etwas zu finden, was eine tatsächliche Belohnung darstellt und als Verstärker eingesetzt werden kann. Für das Tier ist es vermutlich die größte Belohnung, wenn Sie sich direkt nach dem Klick entfernen. Das gilt vor allem für eine Katze mit extremer Angst vor Menschen. So können Sie diese auf den Clicker konditionieren. Etwas weniger ängstliche Tiere fressen vielleicht, wenn Sie eine bestimmte Distanz einhalten. In diesem Fall können Sie dem Tier etwas Futter hinstellen, sich ein Stück entfernen und klicken, sobald die Katze ans Futter geht. Das funktioniert auch, wenn Sie aus dem Zimmer gehen und von dort beobachten, wie sie sich dem Napf nähert.

Sie weiß noch nicht so recht, ob sie sich wirklich trauen soll. Überlassen Sie diese Entscheidung Ihrer Katze und bedrängen Sie sie bitte nicht.

Der Trick mit dem Spiegel

Traut sich Ihre Katze noch immer nicht so recht, in Ihrer Anwesenheit zu fressen, so probieren Sie doch einmal folgende Vorgehensweise aus:

FUTTER GEBEN Sie halten den Clicker, mehrere Superleckerlis und einen Spiegel bereit. Nähern Sie sich nun Ihrer Katze bis auf eine Distanz, die für sie gut erträglich ist. Jetzt drehen Sie der Katze den Rücken zu und werfen ihr ein Leckerli hin.

IM SPIEGEL BEOBACHTEN Schauen Sie in den Spiegel, ob sich die Katze dem Futterstück nähert. Ist sie am Leckerli, gibt's den Klick, kurz bevor sie den Happen frisst. Wiederholen Sie diese Schritte mehrere Male hintereinander, dann entfernen Sie sich als krönenden Abschluss.

Wenn es mit den Übungen nicht klappt

In der Regel wird sich Ihre Katze auf das Clickertraining freuen, nachdem sie dessen Bedeutung begriffen hat. Doch kann es auch einmal Situationen geben, in denen sie nicht mitmachen möchte.

Schlechtes Timing der Klicks Bitte prüfen Sie zunächst, ob die Konditionierung auf den Clicker richtig funktioniert hat. Möglicherweise haben Sie ja Schwierigkeiten mit dem Timing, und die Katze versteht deshalb nicht, was sie wann machen soll. In diesem Fall rate ich Ihnen zu folgender Übung (ohne Katze): Nehmen Sie einen gut springenden Ball in die eine Hand und den Clicker in die andere. Lassen Sie den Ball fallen. In dem Moment, wenn er den Boden berührt, klicken Sie. Idealerweise macht der Ball beim Aufschlagen ein Geräusch, und genau dann sollte der Klick ertönen. Bei jedem Aufschlag klicken Sie – je länger der Ball hüpft, desto kürzer werden die Abstände bis zum Bodenkontakt. Filmen Sie sich mit einer Videokamera. Wenn Sie zu zweit sind, können Sie gleichzeitig das schnelle Geben des Futters üben. Dafür legen Sie Ihren Futterbeutel an und lassen eine Stoppuhr eine Minute lang mitlaufen. Der Helfer lässt den Ball auf einen Tisch fallen. Klick. Nach dem Klick greifen Sie zum Futter und legen es in eine Schüssel. Nach einer Minute zählen Sie die Leckerlis in der Schüssel. Mit der Zeit sollten es immer mehr sein.

Verschmähte Leckerchen

Vielleicht kennen Sie das: Sie haben besonders teure Leckerchen gekauft, aber nach einer kurzen Geruchskontrolle geht die Katze wieder ihres Weges oder spuckt die Leckerlis sogar aus.

Individuelle Vorlieben Nicht alles, was wir als lecker bezeichnen, kommt bei der Katze auch so an. Jedes Tier hat eine eigene Persönlichkeit und einen eigenen Geschmack – so wie wir auch. Wenn Ihre Katze das Leckerli verweigert, so hat sie vielleicht einfach nur andere Vorlieben. Testen Sie ver-

Wenn die Katze Ihre Leckerchen verschmäht, belohnen Sie sie doch mit einem tollen Spiel.

schiedene essbare Dinge, um eine schmackhafte Belohnung zu finden. Vielleicht ist das Tier aber auch nur satt und möchte lieber ein Verdauungsschläfchen halten. Das gilt es natürlich zu berücksichtigen. Möglicherweise hilft es auch, wenn Sie den Zugang zum Futter beschränken. Fand Ihr Vierbeiner bis dato immer ein jederzeit geöffnetes Büfett vor, stellen Sie Ihre Katze auf feste Fütterungszeiten um bzw. reduzieren Sie die frei zugängliche Futtermenge. Dazu messen Sie die übliche Tagesration ab und heben sich z. B. ein Drittel davon für das Clickertraining auf. Ebenso bietet es sich an, vor der eigentlichen Fütterungszeit zu üben, da die Katze zu diesem Zeitpunkt sicher schon Appetit hat.

Ein Spiel zur Belohnung Sollte Ihr Vierbeiner gern spielen, gibt es eine weitere Möglichkeit, sein Interesse an Leckerlis zu steigern: Versuchen Sie jedesmal, wenn Sie das Lieblingsspielzeug nehmen, vorher ein Leckerchen zu geben. Frisst die Katze es, wird sie durch das Spiel dafür belohnt. So steigt der »Wert« des Leckerlis, da es direkt dem Primärverstärker Spiel vorgeschaltet wird.

Keine Lust auf das Training

Lässt sich die Katze einmal nicht zum Üben motivieren, kann es viele Gründe dafür geben.

Sich selbst prüfen Frisst die Katze sonst gern die angebotenen Leckerchen und hat bisher begeistert trainiert, sollten Sie sich, das Tier und die momentane Situation genauer unter die Lupe nehmen. Vielleicht wirken Sie selbst gestresst und haben eigentlich gar keine Lust auf die Übungen. Das spürt die Katze. Clickertraining soll aber beiden Seiten – also Ihnen und Ihrem Vierbeiner – Spaß machen und ohne jeglichen Zwang ablaufen.

Ablenkung vermeiden Auch zu große Ablenkung im Umfeld ist als Ursache denkbar. Vielleicht ist

Nicht wollen oder **nicht können?**

TIPPS VON DER KATZEN-EXPERTIN
Katja Rüssel

Stellen Sie beim Clickertraining mit der Katze fest, dass sie sich plötzlich anders als sonst verhält, könnte sie krank sein. Gehen Sie zum Tierarzt. Findet er keine körperliche Ursache, steckt vielleicht ein seelisches Problem dahinter. Ein Katzenverhaltensberater weiß dann eventuell Rat.

APATHISCH Wenn die Katze mehr als üblich schläft oder sich zurückzieht, deutet das auf eine Krankheit hin. Suchen Sie einen Tierarzt auf.

UNSAUBER Bei Symptomen wie häufiger Gang auf das Katzenklo, Miauen beim Ausscheiden, Verlieren von Urintröpfchen, Blut im Urin oder Durchfall sollten Sie ebenfalls sofort einen Tierarzt hinzuziehen. Manche Erkrankungen können schnell einen kritischen Verlauf nehmen.

AGGRESSION, ANGST Weicht Ihre Katze plötzlich vor Ihnen zurück oder reagiert aggressiv auf Berührungen, können Knochenbrüche, Prellungen, Entzündungen oder traumatische Erlebnisse schuld daran sein. Fassen Sie das Tier nicht mit bloßen Händen an, es könnte beißen oder kratzen und Sie verletzen. Holen Sie den Tierarzt.

eine andere Katze zugegen, die bei dem Tier, mit dem Sie gerade trainieren, zu einer gewissen Hemmung führt. Dies kann z. B. der Fall sein, wenn sich die zweite Katze generell in den Vordergrund drängt. Trennen Sie die Katzen am besten während des Trainings. Vielleicht findet es Ihr Vierbeiner aber auch momentan nur spannender, am Fenster zu sitzen und Vögel zu beobachten. Oder er ist einfach zu müde, um sich auf ein Training zu konzentrieren. In diesem Fall müssen Sie die momentane Situation akzeptieren. Probieren Sie es später wieder.

Krankheiten ausschließen Wenn die Unlust am Training länger als gewöhnlich anhält, ist es angebracht, die Katze von einem Tierarzt untersuchen zu lassen. Möglicherweise ist die Ursache ja eine sich anbahnende oder bereits ausgebrochene Krankheit.

Passende Zeiten nutzen Generell sollte das Training nur in Zeiten stattfinden, in denen die Katze sowieso aktiv ist. Das dürfte meist kurz vor der Fütterung sein, da das Tier diese kaum erwarten kann. Probieren Sie auch einmal neue Leckerlis, die das Interesse der Katze vielleicht erneut wecken.

Tausend andere Dinge im Kopf! Akzeptieren Sie das, und vielleicht kommt Ihnen beim Beobachten Ihrer Katze die Idee für eine neue Übung.

Passive Verhaltensweise

Ist Ihre Katze eher introvertiert und bietet wenig neues Verhalten oder Bewegungen an, die Sie klicken könnten? Dann achten Sie in diesen Fällen von Anfang an auf eine hohe Klickrate.

Oft belohnen Klicken und füttern Sie für jeden noch so kleinen Schritt in die richtige Richtung. Viele rasche Erfolge wirken motivierend, und kurze Übungseinheiten mehrmals täglich sind besser als eine längere. Beobachten Sie sich und die Katze mit einer Videokamera. Was könnte das Tier an der Trainingssituation oder am Ablauf irritieren? Gibt es Ablenkungen durch andere Katzen? Sind Ihre Anforderungen zu hoch? Gehen Sie im Training einige Schritte zurück und festigen Sie zunächst diejenigen, die schon gut klappen. Überlegen Sie sich, wie Sie den Trainingsablauf anders gestalten können. Haben Sie bisher immer bei einer Übung gestanden, setzen Sie sich einmal hin oder gehen Sie einen Schritt von der Katze weg. Vielleicht folgt sie Ihnen. Schon können Sie diese Bewegung klicken.

Anreize einführen Bringen Sie einen neuen Gegenstand – z. B. eine Schachtel – ins Spiel und klicken Sie das kleinste Interesse daran: Blick zur Schachtel, daran riechen (außen, innen), sich daran reiben, zuerst linke, dann rechte Pfote darauf- oder hineinsetzen, hineinsteigen mit einer, zwei, drei, allen vier Pfoten, Schachtel schieben und daran knabbern. Klicken Sie aber jede Aktion höchstens zweimal, danach sollte ein neues Verhalten gezeigt werden. Bietet die Schachtel allein nicht genügend Anreize, schneiden Sie verschieden große Löcher hinein und stecken Sie Schnüre oder Spielzeug

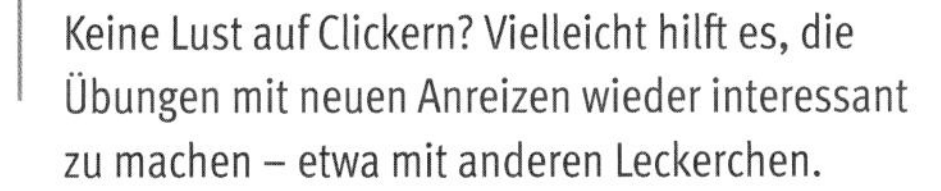

Keine Lust auf Clickern? Vielleicht hilft es, die Übungen mit neuen Anreizen wieder interessant zu machen – etwa mit anderen Leckerchen.

Die Anwesenheit einer anderen Katze stört die Konzentration. Verlegen Sie das Training daher am besten in einen anderen Raum, wo Sie ungestört sind.

hindurch. Nehmen Sie Zeitungspapier, legen ein Leckerli hinein, knüllen es zusammen und ab damit in ein Schachtelloch. Eine hohe Verstärkungsrate (Klick – Futter) ist dabei besonders wichtig. Die Katze soll lernen, dass sich Aktivität lohnt. Nach dem Klick werfen Sie die Leckerlis in die Nähe der Schachtel oder sogar hinein. Ist die Katze einmal in der Schachtel, haben Sie sicher gleich wieder die Gelegenheit, eine neue Bewegung zu klicken. Sie selbst schauen am besten zur Schachtel, nicht zur Katze. Es spricht nichts dagegen, leicht an die Schachtel zu klopfen. Ist Ihre Katze dann immer noch gehemmt, haben Sie weiter Geduld. Üben Sie stets mit bester Laune und korrigieren Sie Ihre Katze nie durch »Nein« oder Wegschieben. Viel Lob und Streicheleinheiten am Schluss nicht vergessen.

Unkonzentriert bei den Übungen

Wenn Ihre Katze beim Training unkonzentriert oder nervös erscheint, so achten Sie auf das gesamte Umfeld und die Situation. Was nehmen Sie wahr?

Provokation vermeiden Wichtig ist, dass das Training in einer ruhigen, reizarmen Umgebung stattfindet. Möglicherweise fühlt sich Ihre Katze auch durch etwas verunsichert, was Sie unbewusst durch Ihre Körpersprache signalisieren. Beobachten Sie sich daher selbst genau. Schauen Sie Ihrer Katze nicht direkt in die Augen, sondern blicken Sie stattdessen auf das Trainingsobjekt oder am Kopf des Tieres vorbei. Blinzeln Sie Ihrer Katze zwischendurch zu, das gilt als »Lächeln«. Manche Gesten unsererseits wirken sehr irritierend auf das Tier. Vielleicht halten Sie ihm die Handfläche direkt vor das Gesicht, damit es sie mit der Pfote berühren soll, oder den Targetstab mit der Spitze voran unmittelbar vor die Augen. Kein Wunder, dass so eine direkte Konfrontation für manche Katzen zu viel ist. Um dieser vermeintlichen Bedrohung zu entgehen und zu signalisieren, dass sie nicht in der Stimmung für Auseinandersetzungen ist, wird sich die Katze vermutlich von Ihnen abwenden oder sogar den Schauplatz verlassen. Mit Spaß hat diese Situation nichts zu tun. Verändern Sie daher die Position, Entfernung oder Größe des unangenehmen Reizes. Statt der Katze die ganze Handfläche vor das Gesicht zu heben, strecken Sie ihr nur einen Daumen entgegen. Den Targetstab halten Sie nicht so, als würden Sie das Tier aufspießen wollen, sondern bieten ihn von der Seite kommend an.

Entspannt üben Vielleicht spürt die Katze eine Unsicherheit bei Ihnen und wird dadurch selbst verunsichert. Wenn Sie einmal bei einer Übung nicht weiter wissen und sich plötzlich gestresst fühlen, trainieren Sie erst wieder, wenn Sie entspannt sind. Sollten Sie das Gefühl haben, mit der Aufgabenstellung gar nicht klarzukommen, beenden Sie die Übung und suchen sich eine andere aus. Häufig klappt es zu einem späteren Zeitpunkt und mit mehr Trainererfahrung. Bedenken Sie auch, dass Sie die hier vorgestellten Übungen jederzeit individuell verändern können – vorausgesetzt, Sie berücksichtigen die Prinzipien der Lerntheorie (→ Seite 6).

Keine Reaktion auf das Signal

Falls Ihre Katze keine Reaktion auf ein Signal zeigt, hat sie es wahrscheinlich noch nicht verinnerlicht. Somit ist sie nicht in der Lage, es auf andere Situationen zu übertragen.

Ein schlechter Zeitpunkt für das Training oder zu große Schritte bei den Übungen überfordern die Katze und können dazu führen, dass sie auf Signale nicht mehr reagiert.

Variationen schaffen Haben Sie z. B. immer unter bestimmten Bedingungen trainiert – stets abends im Wohnzimmer und in eine rote Jeans gekleidet –, so wurden diese Details von Ihrer Katze als Teil der Übung mitgelernt. Daher ist es wichtig, die Umweltreize und die Ablenkungen langsam zu verändern und zu steigern, sobald das Verhalten gut klappt. Üben Sie das Signal mit dem entsprechenden Verhalten auch zu anderen Tageszeiten wie bisher. Wechseln Sie die Räume, in denen Sie trainieren, und verändern Sie auch Ihre eigene Körperhaltung. Stehen Sie nicht immer nur, wenn Sie das Signal geben, sondern gehen Sie hin und wieder in die Hocke. Schauen Sie, ob das Signal noch genauso korrekt ausgeführt wird. Wenn nicht, steigern Sie die Ablenkungen in kleinen Schritten.

Das richtige Signal auswählen Möchten Sie ein neues Signal für ein Verhalten einführen, entscheiden Sie sich für ein kurzes und eindeutiges Wort- oder Sichtzeichen. Es sollte im Alltag keine Verwendung finden. Achten Sie vor allem auf Folgendes: Geben Sie das Signal nur einmal, wenn Ihre Katze ein bestimmtes Verhalten zeigen soll.

Die Umstände beachten Es gibt Situationen, die der Katze die Ausführung des Verhaltens erschweren oder unmöglich machen. Ein Beispiel: Sie geben Ihrer Katze das Signal »Sitz«. Sie setzt sich zwar ansatzweise, aber eben nicht ganz. Nehmen Sie der Katze solche »Verweigerungen« nicht übel, sondern betrachten Sie Ihr Tier etwas genauer. Es hat immer gute Gründe, warum es ein Verhalten nicht ausführt. An uns liegt es nun, herauszufinden, welche Gründe das sein könnten und wie sie sich beheben lassen. Vielleicht liegt ja genau dort ein spitzes Steinchen auf dem Boden oder Ihre Katze hat Schmerzen in den Hinterbeinen. Überdenken Sie auch Ihr Vorgehen während des Trainings. Haben Sie vielleicht die Anforderungen zu hoch gesetzt? War Ihr Timing absolut korrekt? Mag Ihre Katze die angebotenen Leckerlis wirklich? Ist sie gerade müde, satt oder einfach nur abgelenkt? Vielleicht liegt es auch daran, dass der Boden zu kalt ist oder mit einem streng riechenden Mittel geputzt wurde und die Katze sich deshalb nicht gern hinsetzt. Es gibt unzählige Gründe, warum Ihre Katze auf ein Signal nicht reagiert.

Beißen und mit den Krallen hakeln

Ihre Katze zeigt ein sonderbares Verhalten: Sie beißt beim Leckerligeben in den Finger oder krallt nach der Futterhand. Um Abhilfe zu schaffen, trainieren Sie am besten ein Verhalten, das sich nicht

Feedback ist wichtig

Sie möchten herausfinden, warum und was im Training nicht funktioniert oder warum Ihre Katze ein vermeintlich gelerntes Signal nicht ausführt?

EINEN HELFER FRAGEN Bitten Sie eine andere Person, Sie und Ihre Katze beim Clickern zu beobachten. Was fällt an Ihnen und dem Tier auf? Eine neutrale Person kann vieles wahrnehmen – wie Sie mit Ihrer Katze umgehen, wo es ein Problem geben könnte, wie Ihr Timing ist, welche unbewussten Gesten Sie machen, wie Ihre Katze darauf reagiert usw.

EIN VIDEO DREHEN Steht Ihnen niemand zur Verfügung, filmen Sie sich und Ihre Katze beim Training mit einer Videokamera. Nun können Sie genau nachvollziehen, was sich bei den Übungen verändern lässt, um ans Ziel zu gelangen.

mit dem Krallen nach Futter vereinbaren lässt. Das kann das Wegdrehen der Katzennase von der Futterhand sein. Sie bringen also Ihrer Katze bei, dass sie das Leckerli nur bekommt, wenn sie sich verhält, als würde sie das Futterstück nicht wollen.

So geht's Ziehen Sie einen dicken Handschuh an, nehmen Sie ein Leckerchen in die Hand und schließen Sie sie zu einer Faust. Der Clicker kommt in die andere Hand. Halten Sie die Leckerlihand nicht über den Kopf der Katze, und ziehen Sie die Hand auch nicht weg, wenn sich die Katze nähert. Sonst krallt sie vielleicht wieder danach, und das wollen wir ihr ja gerade abtrainieren. Ihre Katze soll nun durch Versuch und Irrtum herausfinden, wie sie ein Leckerli bekommt. Sicher beginnt sie, an der Hand zu kratzen, daran zu schlecken oder Ähnliches. Halten Sie still und lassen Sie Ihre Katze einfach ausprobieren, was ihr ein Leckerli einbringt und was nicht. Um Ihre Hand brauchen Sie sich keine Sorgen zu machen – sie ist durch den Handschuh geschützt. Warten Sie einfach so lange, bis sich Ihre Katze von der Futterhand wegdreht: Klick. Jetzt lassen Sie das Leckerli fallen. Geben Sie es ihr nicht aus der Hand, denn sie soll lernen, weder die Hand zu berühren noch sich ihr zu nähern. Trainieren Sie das konsequent und achten Sie darauf, dass Ihr Vierbeiner mit dem Krallen nach Futter keinen Erfolg mehr hat. Schimpfen Sie jedoch in keiner Situation mit Ihrer Katze.

Belohnen Sie das Krallen nicht, sondern klicken und füttern Sie Ihre Katze nur, solange die Pfoten am Boden bleiben.

Schmerz, lass nach Wenn Ihr Tier nach Ihnen krallt und Sie das schmerzhaft spüren, brauchen Sie einen dickeren Handschuh. Sie können sich aber auch Alternativen zum Handschuh überlegen. Weiche Leckerlis wie Wurst, Käse oder Fleisch können Sie auf kleine »Partyspieße« für Käsehäppchen stecken oder mit einer Plastik-Pommesgabel reichen. Achten Sie darauf, dass die Enden nicht spitz sind und die Katze sich daran nicht verletzen kann. Härtere Stücke bieten Sie mit einer Pinzette oder auf einem Löffel an. Natürlich können Sie Ihrer Katze das Futter auch zuwerfen oder es so schnell auf den Boden legen, dass das Tier Sie nicht kratzen kann. Manche Katzen beißen gern in die Finger, mit denen das Futter dargeboten wird. In diesem Fall kann es helfen, das Häppchen auf der Handfläche darzureichen. Sollte die Katze zudem noch nach dem Futter krallen, bleibt doch nur ein Handschuh.

Clickern bei Verhaltensproblemen?

Ich rate zur Vorsicht, wenn Sie mit dem Clicker an auffälligem Verhalten arbeiten möchten. Der Clicker ist ein starkes, eindeutiges Kommunikationsmittel, der dem Tier vermittelt, was es richtig macht. Mit ihm können Sie der Katze etwas beibringen, nicht aber ein Verhalten abstellen. Möchten Sie Letzteres erzielen, müssen Sie umdenken: Richten Sie Ihr Augenmerk auf ein erwünschtes Alternativverhalten, das Sie mit dem Clicker verstärken können.

Beispiel Anhänglichkeit Ihre Katze rennt Ihnen ständig nach, sogar bis auf die Toilette. Wenn Sie sie schimpfen, wird es nicht besser werden, da sie vermutlich Ihre Aufmerksamkeit sucht. Und negative Aufmerksamkeit ist ihr immer noch lieber als gar keine. Überlegen Sie also, welches Alternativverhalten Sie verstärken könnten. Ein Ansatz wäre, dass Sie immer klicken und sie belohnen, wenn sie vor dem Bad verharrt oder von allein hinausgeht und draußen wartet. Das Erkennen kleinster positiver Ansätze, kleine Schritte, Geduld und ein gutes Timing entscheiden letztendlich über den Erfolg.

Wichtig Wird ein Verhalten falsch interpretiert, dessen Motivation nicht erkannt und dessen Ursache nicht beseitigt, hilft auch der Clicker nicht.

Probleme professionell abklären

Wenn Ihnen gravierende Verhaltensprobleme bei Ihrer Katze auffallen, sollten Sie zum Tierarzt gehen. Möglicherweise steckt eine körperliche Erkrankung dahinter. Ist bei dem Tier organisch alles in Ordnung, wenden Sie sich an einen erfahrenen Katzenverhaltensberater. Er nimmt sich viel Zeit für Sie und Ihr Tier und wird gemeinsam mit Ihnen individuelle Lösungsmöglichkeiten erarbeiten.

Langeweile als Ursache Viele Katzen, die unerwünschtes Verhalten zeigen, sind geistig und körperlich schlichtweg unterfordert. Für sie ist regelmäßiges Clickertraining ideal. Beginnen Sie immer mit Übungen, die Ihnen und Ihrer Katze Spaß bereiten. So laufen Sie nicht Gefahr, zu hohe Erwartungen an sich und das Tier zu stellen und bei Nichterfüllung enttäuscht zu werden.

Regelmäßiges Clickertraining fördert die Bindung und führt dazu, dass sich Ihr Liebling rundum wohlfühlt.

Die **halbfett** gesetzten Seitenzahlen verweisen auf Abbildungen, U = Umschlag, UK = Umschlagklappe.

A

B

C

D

E

F

G

H

I

K

Die Inhalte dieses Buches beziehen sich auf die Bestimmungen des deutschen Tier- bzw. Artenschutzes. In anderen Ländern können die Angaben abweichend sein. Erkundigen Sie sich daher im Zweifelsfall bei Ihrem Zoofachhändler oder der entsprechenden Behörde.

Adressen

› Fédération Internationale Féline (FIFe), 17 Rue du Verger, L-2665 Luxembourg, www.fifeweb.org
› 1. Deutscher Edelkatzenzüchterverband e. V. (1. DEKZV e. V.), Berliner Str. 13, 35614 Asslar, www.dekzv.de
› Deutsche Rassekatzen-Union e. V. (D.R.U.), Geschäftsstelle: Hauptstr. 56, 56814 Landkern, www.dru.de

Wichtige **Hinweise**

› Informieren Sie sich über die artgerechte Haltung und dem arttypischen Verhalten von Katzen. Versuchen Sie immer, die Bedürfnisse Ihres Pfleglings zu erfüllen.

› Da einige Krankheiten und Parasiten auf den Menschen übertragen werden können, sollten Sie im Zweifelsfall zum Tierarzt gehen und die Katze untersuchen lassen.

› Bisse durch Katzen führen leicht zu Entzündungen. Gehen Sie bitte sofort zu einem Arzt, wenn Sie Rötungen an Biss- oder Kratzstellen entdecken oder Schmerzen haben.

› World Cat Federation (WCF), Geisbergstr. 2, 45139 Essen, www.wcf-online.de
› Österreichischer Verband für die Zucht und Haltung von Edelkatzen (ÖVEK), Liechtensteinstr. 126, A-1090 Wien, www.oevek.at
› IEMT Schweiz, Institut für Interdisziplinäre Erforschung der Mensch-Tier-Beziehung, Postfach 235, CH-8034 Zürich, www.iemt.ch
› Fédération Féline Helvétique (FFH), Alfred Wittich (Präsident), Büntacher 22, CH-5626 Hermetschwil, www.ffh.ch
› Deutscher Tierschutzbund e. V., Baumschulallee 15, 53115 Bonn, www.tierschutzbund.de

Fragen zur Haltung

beantworten Ihr Zoofachhändler und der Zentralverband Zoologischer Fachbetriebe Deutschlands e. V. Tel.: 0611/44 75 53 32 (nur telefonische Auskunft möglich: Mo 12–16 Uhr, Do 8–12 Uhr), www.zzf.de

Registrierung

› TASSO e. V., Abt. Haustierzentralregister, 65784 Hattersheim am Main, Tel. 06190/93 73 00, www.tasso.net,
› Internationale Zentrale Tierregistrierung (IFTA), Nördliche Ringstr. 10, 91126 Schwabach, Tel. 00800/43 82 00 00 (kostenlos), www.tierregistrierung.de

Katzen im Internet

› **www.clickertraining.com**
Englischsprachige Website von Karen Pryor, der Pionierin des Clickertrainings
› **www.clickermagazin.ch**
Das erste deutschsprachige Magazin rund um das Clickertraining.
› **www.pfotenhieb.de**
Das elektronische Katzenmagazin mit allem Wissenswerten rund um die Samtpfoten

Informationen über giftige Pflanzen erhalten Sie unter:
› **www.giftpflanzen.ch**

Bücher

› Birgit Kieffer: Meine Katze macht, was sie will. Gräfe und Unzer Verlag, München
› Gabriele Linke-Grün: Wohnungskatzen. Gräfe und Unzer Verlag, München
› Karen Pryor: Positiv bestärken – sanft erziehen. Kosmos Verlag, Stuttgart

Zeitschriften

› Katzen extra. Gong Verlag, Ismaning
› Geliebte Katze. Gong Verlag, Ismaning
› Our cats. Das Katzenmagazin. Minerva-Verlag GmbH, Mönchengladbach
› die edelkatze. Illustrierte Fachzeitschrift für Katzenfreunde, Verbandszeitschrift des 1. DEKZV (→ Adressen)
› katzen. Hrsg. D.R.U. (→ Adressen)

Unsere Garantie

Alle Informationen in diesem Ratgeber sind sorgfältig und gewissenhaft geprüft. Sollte dennoch einmal ein Fehler enthalten sein, schicken Sie uns das Buch mit dem entsprechenden Hinweis an unseren Leserservice zurück. Wir tauschen Ihnen den GU-Ratgeber gegen einen anderen zum gleichen oder ähnlichen Thema um.

Liebe Leserin und lieber Leser,

wir freuen uns, dass Sie sich für ein GU-Buch entschieden haben. Mit Ihrem Kauf setzen Sie auf die Qualität, Kompetenz und Aktualität unserer Ratgeber. Dafür sagen wir Danke! Wir wollen als führender Ratgeberverlag noch besser werden. Daher ist uns Ihre Meinung wichtig. Bitte senden Sie uns Ihre Anregungen, Ihre Kritik oder Ihr Lob zu unseren Büchern. Haben Sie Fragen oder benötigen Sie weiteren Rat zum Thema? Wir freuen uns auf Ihre Nachricht!

Wir sind für Sie da!
Montag – Donnerstag: 8.00 – 18.00 Uhr;
Freitag: 8.00 – 16.00 Uhr
Tel.: 0180-5 00 50 54*
Fax: 0180-5 01 20 54*
*(0,14 €/Min. aus dem dt. Festnetz/ Mobilfunkpreise maximal 0,42 €/Min.)
E-Mail:
leserservice@graefe-und-unzer.de

P.S.: Wollen Sie noch mehr Aktuelles von GU wissen, dann abonnieren Sie doch unseren kostenlosen GU-Online-Newsletter und/oder unsere kostenlosen Kundenmagazine.

GRÄFE UND UNZER VERLAG
Leserservice
Postfach 86 03 13
81630 München

Projektleitung: Alexandra Stronski
Lektorat: Gerdi Killer, bookwise GmbH, München
Bildredaktion: Silke Bodenberger, Petra Ender (Cover)
Umschlaggestaltung und Layout: independent Medien-Design, Horst Moser, München
Herstellung: Claudia Labahn
Satz: Uhl + Massopust, Aalen
Reproduktion: Longo AG, Bozen
Druck: Firmengruppe APPL, aprinta druck, Wemding
Bindung: Firmengruppe APPL, m.appl GmbH, Wemding

Printed in Germany

ISBN 978-3-8338-1935-3

4. Auflage 2012

Umwelthinweis

Dieses Buch ist auf PEFC-zertifiziertem Papier aus nachhaltiger Waldwirtschaft gedruckt.

www.facebook.com/gu.verlag

Ein Unternehmen der
GANSKE VERLAGSGRUPPE

Die Autorin

Katja Rüssel ist ausgebildete Katzenpsychologin (ATN) und arbeitet als Katzenverhaltensberaterin in eigener mobiler Praxis. Sie ist Expertin auf dem Gebiet des Katzenverhaltens und beschäftigt sich mit dem Lernverhalten der Katze sowie der Kommunikation und Beziehung zwischen Mensch und Katze. Bei ihrer Arbeit wird sie tatkräftig von ihren eigenen drei Katzen unterstützt. Sie hat bereits diverse Artikel in Katzenzeitschriften veröffentlicht.

Der Fotograf

Oliver Giel hat sich auf Natur- und Tierfotografie spezialisiert und betreut mit seiner Lebensgefährtin Eva Scherer Bildproduktionen für Bücher, Zeitschriften, Kalender und Werbung. Mehr über sein Fotostudio finden Sie unter seiner Website www.tierfotograf.com.
Alle Fotos in diesem Buch stammen von Oliver Giel mit Ausnahme von: Monika Wegler/JUNIORS: Seite 59; Jana Weichelt: U1.

Syndication:
www.jalag-syndication.de